D1639619

Collection **marabout service**

DES MÊMES AUTEURS

SPORT ET ALIMENTATION (Vigot, La Table Ronde)
GUIDE ALIMENTAIRE DU SPORTIF (Stock)
DIÉTÉTIQUE SPORTIVE (Masson)
LES KILOS DE TROP (Robert Laffont)

de Léone Bérard

POUR MAIGRIR (Diététique d'aujourd'hui)
LE PREMIER LIVRE DE CUISINE (Marabout)
LA CUISINE POUR DEUX (Marabout)
LA CUISINE RAPIDE (Marabout)
POISSONS ET FRUITS DE MER (Marabout)
RECETTES POUR NE PAS GROSSIR (Marabout)

Dr ALBERT-FRANÇOIS CREFF
et
LÉONE BÉRARD

Gastronomie de la diététique

Les collections **marabout** sont éditées par la S.A. Les Nouvelles Éditions Marabout, 65, rue de Limbourg, B-4800 Verviers (Belgique). — Le label **marabout**, les titres des collections et la présentation des volumes sont déposés conformément à la loi. — Distributeurs en **France** : HACHETTE s.a., Avenue Gutenberg. Z.A. de Coignières-Maurepas, 78310 Maurepas, B.P. 154 — pour le **Canada** et les **États-Unis** : A.D.P. Inc. 955, rue Amherst, Montréal 132, P.Q. Canada — en **Suisse** : Office du Livre, 101, route de Villars, 1701 Fribourg.

Sommaire

PREMIÈRE PARTIE

LE BON POIDS

« LE BON POIDS, C'EST LE BON SENS »

Il n'y a pas d'obésité :
il n'y a que des obèses.

S'il était facile de maigrir, personne ne serait gros. Mais, surtout, s'il était simple de ne pas reprendre le poids perdu, personne ne regrossirait.

Ces vérités élémentaires posent le seul et vrai problème du traitement de l'obésité.

Comment peut-on concevoir qu'un obèse :

— qui a vraiment voulu maigrir;

— qui a beaucoup investi moralement et, plus encore, matériellement;

— qui est allé au bout de son expérience pour atteindre, enfin, le poids désiré;

— qui s'est apporté la preuve qu'après tout on peut maigrir sans trop de difficulté;

— qui en retire un mieux-être physique, moral et esthétique qu'il se plaît à reconnaître;

— qui jure qu'il ne recommencera plus;

comment peut-on concevoir que cet obèse soit capable de reprendre tout ou partie du poids perdu?

Pour un esprit cartésien qui n'a jamais eu à se battre contre les kilos excédentaires, cela peut paraître incompréhensible.

Comment peut-on mettre en balance le bien-être de vivre mince, même au prix de quelques sacrifices, et les désagréments de rester gros, ne retirant des aliments que des satisfactions momentanées?

Comment peut-on mettre en balance le plaisir d'un chocolat quelques secondes dans la bouche et le déplaisir de la graisse qui en résulte quelques années sur le ventre ou les fesses?

Et pourtant!

L'étude attentive de ces rechutes est particulièrement instructive et permet de dégager un certain nombre d'explications.

LA PREMIÈRE EST CHRONOLOGIQUE

On sait quand une obésité commence,
on ne sait jamais quand elle finira.

Certains médecins, et ils sont même assez nombreux, admettent fort bien la notion d' « obèses légers », arguant du peu d'inconvénients qu'entraînent quelques kilos de trop. Mieux vaut, disent-ils, être bien en chair et bien dans sa peau que mince mais triste et malheureux.

Nous ne sommes pas du tout de cet avis. Outre qu'il n'est absolument pas prouvé — au contraire — qu'on est nécessairement malheureux quand on a perdu du poids, il est bien certain que plus tôt on s'occupe de la surcharge pondérale, meilleurs sont les résultats. Après tout, l'obésité n'est-elle pas une affection comme une autre? Plus vite on s'en occupe et mieux cela vaut. Les statistiques, à cet égard, sont indiscutables : plus le laps de temps entre la constitution d'une obésité et le début du traitement est court, meilleurs sont les pourcentages

> « ***Dans la vie, il faut savoir ce que l'on veut; quand on le sait, il faut le faire; quand on le fait, il faut le faire jusqu'au bout.*** »
>
> G. Clemenceau

de stabilisation. Soigner très tôt une discrète surcharge pondérale, c'est souvent une réussite brillante et durable; s'attaquer trop tard à des obésités sévères, c'est la rechute quasi systématique.

Il est plus facile, plus rapide et moins coûteux de perdre cinq kilos que trente ou quarante...

Il ne faut donc pas mépriser les obèses légers qui demandent de l'aide. Mieux vaut les traiter de façon orthodoxe que de les laisser devenir les proies et les victimes de thérapeutiques marginales dangereuses. Et c'est surtout l'occasion de ne pas laisser se développer des voies métaboliques de gaspillage qui, peu à peu, vont devenir irréversibles et installer leurs victimes dans des obésités irréductibles.

LA SECONDE EXPLICATION EST CHIMIQUE

« Ne faisons plus de notre corps une boutique d'apothicaire. »

MOLIÈRE

Tant que l'obèse n'aura pas compris que c'est dans son intérêt profond qu'il va maigrir, il y a peu de chances pour qu'il perde définitivement son poids. Malheureusement, la diversité des causes de l'obésité, et certains de ses aspects encore mal élucidés, expliquent pourquoi son traitement est envahi par le merveilleux qui permet un amaigrissement sans effort — donc sans régime — par conséquent sans nuance, mais avec des médicaments. Or la première des choses à ne pas faire lorsqu'on doit maigrir, c'est de croire aux miracles, aux solutions de facilité; c'est de demander aux médicaments de se substituer à une volonté défaillante.

Car le plus sûr moyen de regrossir, c'est d'avoir maigri sans régime avec des remèdes chimiques.

Tout ce que certains obèses réussissent à perdre, c'est... leur feuille de régime!

C'est certain, l'utilisation intempestive du quarteron anorexigènes-diurétiques-extraits thyroïdiens-laxatifs, non assortie d'un régime cohérent, débouche à tout coup non seulement sur la rechute, mais aussi sur des malaises avec, en prime, un certain nombre de kilos supplémentaires dans les quelques semaines (quand ce n'est pas les quelques jours) qui suivent l'arrêt du traitement.

A ce propos d'ailleurs, on a l'habitude d'attribuer la palme du danger aux extraits thyroïdiens. Il est indiscutable qu'à fortes doses ils peuvent entraîner de véritables catastrophes mais, actuellement, à dire vrai, peu d'amaigrisseurs prennent encore le risque de les prescrire à doses toxiques. Ceux qui les utilisent se contentent de doses inefficaces donc inutiles. D'autant plus inutiles que la glande thyroïde n'est pratiquement jamais impliquée dans l'obésité... De surcroît l'amaigrissement qui résulte de la prise d'extraits thyroïdiens procède beaucoup plus de la fonte de la masse maigre (les muscles) que de la masse grasse (la graisse), ce qui n'est pas tout à fait le but recherché.

Les anorexigènes, les « coupe-faim », sont encore plus néfastes. En effet, contrairement à l'idée répandue, peu d'obèses — pas plus de 15 % — sont de gros mangeurs. Les autres, ou bien ne mangent pas plus que la majorité des gens normaux (40 %), ou bien sont de petits mangeurs (45 %). Ils ne mangent pas beaucoup, ils mangent mal; ils ont de l'appétit, des appétits spécifiques, ils sont difficiles. Ils le disent, d'ailleurs : « Je n'ai pas faim, j'ai envie de manger. » Certains d'entre eux découvrent après leur amaigrissement la sensation de faim qu'ils ne connaissaient pas et qu'ils confondaient avec l'appétit.

La vraie faim, c'est manger la semelle de ses chaussures, quand elle est en cuir. Si elle est en crêpe, c'est déjà de la gourmandise.

Grosso modo, la faim est un besoin ressenti « dans l'estomac » ; par contre l'appétit est un désir qui se situe « dans la tête » et qui, chez l'obèse, affecte les caractères d'une véritable névrose. Or, tout le monde sait qu'on soigne une névrose avec des calmants, pas avec des amphétamines, ce que sont à peu près tous les coupe-faim. Malgré cela on a vendu en France, en 1976, quatorze millions de tubes d'anorexigènes. Pas étonnant que les psychiatres aient tant de travail...

Quant aux diurétiques — et aux laxatifs — dont l'emploi est « justifié » par le mythe tenace d'une obésité d'eau et de sel qui n'existe pratiquement pas, chacun sait ou devrait savoir, passez-nous cette expression de salle de garde, « qu'ils ne font pisser que de l'eau, pas de l'huile », et que, par un mécanisme insidieux dont l'organisme a le secret, leur emploi prolongé entraîne peu à peu la formation d'œdèmes, de rétention paradoxale d'eau, dont il sera fort difficile de se débarrasser.

Quand on a décidé de maigrir, on peut et on doit maigrir sans médicament. Sinon, cela revient à soigner une maladie pour en créer une autre.

LA TROISIÈME EST D'ORDRE PSYCHOLOGIQUE

Manger, c'est plus que manger. C'est, bien sûr, se nourrir, s'alimenter, mais c'est aussi rechercher une satisfaction, une compensation à une frustration, à un besoin essentiel qui n'a pu être satisfait et s'est trouvé refoulé. Alimentation et amour, instances fondamentales, sont intimement liés. Quand on ne peut s'entourer d'amour, on s'entoure de graisse. L'obèse qui demande un amaigrissement sait à quoi s'en tenir. Il sait très bien qu'on lui prescrira un régime. Et ce régime — mis à part les inepties fantaisistes des dernières trouvailles à la mode ou de la dernière révolution diététique — il le connaît dans ses grandes lignes. Pour lui, la démarche diététique, pour indispensable qu'elle soit, n'est pas suffisante. Il a besoin d'autre chose, il a besoin d'être conforté, d'être réconforté. Il a besoin de chaleur humaine. Il a besoin d'une assistance psychologique qu'on doit toujours prendre le temps de lui donner et qui doit porter sur tous

Deux mots étonnants du vocabulaire allemand :
— der Kummerspeck : le lard des soucis;
— die Witweschokolade : le chocolat des veuves.

les éléments socioculturels, affectifs et économiques dans lesquels il évolue. Il faut savoir pourquoi l'aliment est chez lui à la fois tranquillisant et culpabilisant. Il faut comprendre l'obèse. Je dirai même plus : il faut l'aimer. Ce n'est pas facile, c'est long et c'est fatigant, mais c'est un élément de traitement indispensable. S'il rechute, il ne suffit pas de lui dire qu'il manque de volonté et de le lui reprocher plus ou moins vertement; encore faut-il s'efforcer de comprendre le pourquoi de cette rechute et, par voie de conséquence, essayer de le corriger. C'est là qu'intervient la personnalité du médecin qui, sans verser dans le laxisme, au nom d'une psychologie permissive (une bonne engueulade — le mot est dans le Larousse et dit bien ce qu'il veut dire — est parfois un remarquable médicament), doit admettre que le succès du régime dépend autant de la confiance que lui porte son malade que de sa volonté de maigrir ou de l'importance

Le régime seul n'est pas suffisant pour traiter le kilo-drame.

de la restriction alimentaire. Mais, très souvent, le médecin seul ne suffit pas, car l'assistance psychologique de l'obèse n'est pas une petite affaire. Elle requiert des équipes structurées et rodées composées de médecins, diététiciennes, psychologues, sociologues et psychomotriciens. Elle utilise les techniques de psychothérapie individuelle ou de groupe, allant des méthodes dérivées du training autogène à la thérapie comportementale en passant par le yoga, la mimothérapie ou la relaxation dynamique. A moins qu'il ne s'agisse tout simplement de clubs d'obèses où le patient, profitant de la dynamique du groupe, se bat mieux parce qu'il n'est plus seul, aidé par les copains de régime — comme il y a les copains de régiment.

Certes la volonté est une qualité innée, mais on peut toujours acquérir la discipline.

LA QUATRIÈME EST D'ORDRE DYNAMIQUE

« Le mouvement c'est la vie. »

« Je ne donnerai le baccalauréat qu'à des étudiants capables de pratiquer convenablement une activité sportive choisie par eux, selon leur tempérament, car les jeunes gens auront pu développer l'esprit sportif, la volonté de recevoir et réaliser l'équilibre entre leurs fonctions intellectuelles et physiques. »

Louis LEPRINCE-RINGUET

Si l'on n'intervient que sur les recettes, pas sur les dépenses, on ne fait que la moitié du chemin et la rechute est assurée. C'est la raison pour laquelle nous prescrivons toujours à tout candidat à l'amaigrissement trois pilules de sport par jour.

D'abord parce que perdre, en remuant, quelques grammes de graisse n'est jamais négligeable. (Quand les joueurs de rugby ne prennent plus de « pains », ils prennent de la brioche !) Mais surtout, parce que le mouvement physique réconcilie l'obèse avec son corps. On ne fait pas de sport quand on n'aime pas son corps gros. Quand on fait du sport, il est bien rare qu'on ne refuse pas son surpoids. L'acceptation du régime devient donc un phénomène implicite, qui, au lieu d'être subi avec morosité, mobilise une énergie endormie.

Et si les femmes acceptaient d'être bâties comme des femmes? Mais Miss Cellulite cache ses angoisses dans ses jeans.

En fin de compte, le sport est le meilleur des anorexigènes (au sens strict du mot, « coupe-appétit » et non pas « coupe-faim »); c'est pour cela qu'il est un médicament irremplaçable et indispensable. Mais on ne le trouve pas, tout fait, en pharmacie... Et, malheureusement, pour nombre de nos contemporains, il apparaît plus difficile de faire un pas de plus qu'une bouchée de moins...

« ***Le secret de l'action, c'est de s'y mettre.*** »
ALAIN

LA CINQUIÈME EST D'ORDRE DIÉTÉTIQUE

Maigrir ne signifie pas mourir de faim.
Cela veut dire manger différemment.
On ne guérit pas l'obésité par la famine.

Quand un obèse rechute, en général, c'est parce qu'il n'a pas compris ce qu'on attendait de lui : maigrir certes, mais surtout, pour ne pas reprendre de poids, réapprendre à manger, rééduquer son appétit, prendre de nouvelles (et bonnes) habitudes alimentaires.

Pendant le traitement d'abord. Il ne faut pas essayer de battre des records : *l'important n'est pas de maigrir vite mais de maigrir bien et de façon durable.* Les amaigrissements rapides sont éphémères : ils ne permettent pas de vivre sa guérison.

Après le traitement ensuite. Il faut que le médecin ait le courage de dire à son patient, et que le patient ait le courage d'entendre :

Tout est probablement génétiquement inscrit; mais celui qui le veut vraiment peut toujours infléchir la fatalité.

— que l'obésité, plus qu'une maladie, est un tempérament;
— que les mêmes causes déterminent toujours les mêmes effets;
— que les mêmes erreurs alimentaires font prendre les mêmes kilos.

L'ex-obèse doit donc être vigilant, surveiller son poids et réagir dès le premier dérapage. Tant qu'on n'a pas repris le premier kilo, on ne peut pas reprendre le second...

Alors?

Régime aujourd'hui; régime demain?

Obèse un jour; obèse toujours?

Non, si l'on sait qu'il y a deux catégories d'aliments (voir p. 22) :

— ceux qui ne font pas grossir et qu'on peut toujours manger à volonté pour calmer sa faim, car pour ne pas avoir faim, on n'a encore rien trouvé de mieux que manger;

— ceux qui font grossir et qu'on ne peut manger qu'en quantité raisonnable pour satisfaire son appétit.

Maigrir demande donc des restrictions, c'est vrai, mais uniquement dans le choix des aliments, pas dans la quantité totale. Les calories ne comptent-elles donc plus? Si, mais il ne faut pas les compter, il faut les choisir; car, plus qu'une maladie du savoir manger, l'obésité est une maladie du savoir choisir.

L'amaigrissement et la stabilisation ne peuvent et ne doivent résulter que de l'apprentissage sans faiblesse d'une nouvelle façon de s'alimenter.

LA SIXIÈME DÉCOULE DE LA CINQUIÈME. C'EST L'OBJET DE CE LIVRE — C'EST L'EXPLICATION GASTRONOMIQUE.

« Il n'y a pas de fruit défendu,
l'essentiel est de savoir y mordre. »
« Il n'y a jamais de honte à troquer son mortier
de médecin contre la toque du cuisinier. »

Réapprendre à manger, c'est aussi réapprendre à faire de la cuisine.

Pourquoi donc l'obèse se laisse-t-il enfermer dans le carcan

> « ***Certaines vraies grosses, à force de volonté, deviennent de "fausses" maigres.*** »
>
> H.P. KLOTZ

triste et monotone du régime uniforme, sans imagination dont l'insipidité entraîne très vite une lassitude bien compréhensible et un arrêt prématuré du traitement ? Qui accepterait de vivre plus de quelques jours de steak grillé, de carottes râpées sans huile et d'endives vapeur ? Maigrir c'est aussi l'imagination à la cuisine.

On peut se nourrir intelligemment sans abandonner tout ce qui est savoureux et manger à sa faim sans avoir mauvaise conscience.

La diététique n'est pas du tout incompatible avec les joies de la table.

D'ailleurs, une nouvelle cuisine française est née qui, nous l'espérons, contribuera à sortir la cuisine traditionnelle des concepts hautement glucido-lipidiques, trop gras et trop sucrés, de la fin du XIXe siècle.

Elle propose des recettes qui, pour être variées, appétissantes, agréables, n'en sont pas moins économiques, faciles, et rapides à préparer, conformes à l'esprit du régime et surtout adaptées aux impératifs nutritionnels de l'homme du XXe siècle, impératifs qui n'ont plus rien à voir avec ceux du siècle dernier.

On peut et on doit gastronomiser la diététique.

EN VRAC ET SUR LE VIF

Dites en une phrase pourquoi vous voulez maigrir. Voici les réponses les plus fréquentes, pittoresques ou navrées.

— Parce que je me sens mal dans ma peau (une fois sur deux).
— A cause de ma culotte de cheval.
— Parce que j'ai un jeune mari.
— Parce que ma bouée de secours est vraiment trop moche.
— Parce que j'ai mon armoire pleine de vêtements neufs que je ne peux plus mettre.
— Pour faire plaisir à mon fils.
— Parce que je n'accepte plus mon derrière.
— Parce que ma femme me trompe à cause de mon image peu flatteuse.

— Pour rajeunir.
— Pour ne pas devenir comme ma mère.
— Je vais me déshabiller, vous allez comprendre.
— Parce que cela devient une obsession.
— Quand je sors d'un magasin de vêtements, je pleure.
— Parce que mon fils m'a dit : « Maman, descends! Passe le pont à pied... Tu remonteras dans la voiture quand nous aurons traversé! »
— Parce que je commence à avoir du succès dans les bals de village.
— Parce que, l'autre soir, en se couchant, mon mari m'a dit : « Allez la grosse! montre un peu ce que tu sais faire! » J'en ai pleuré toute la nuit.
— Parce que le chauffeur m'a dit devant tout le monde de m'asseoir bien au milieu de la banquette arrière, sinon l'autocar se renverserait dans les virages.
— Parce que mes complexes se développent.
— Parce que je me sens diminuée.
— Parce que je n'ose plus aller voir mon mari qui travaille en province.
— Parce que ce n'est pas joli et que je suis vaniteux.
— J'ai des miroirs dans mon magasin qui me montrent mille fois ma grosseur.
— Parce que je vois bien à quoi ressemblent les femmes que mon mari regarde.
— A cause de mes belles-filles.
— Parce que les copains m'appellent « grosse patate ».
— Parce que je n'ai plus confiance en moi.
— Papa n'arrête pas de me dire que j'ai un « gros pétard ».
— Je ne peux plus faire de vélo.
— Parce que mon père était gros comme moi et qu'il est mort à quarante-cinq ans d'un infarctus.
— Parce que je ne veux pas qu'on dise à ma fille que sa mère est grosse; j'ai trop souffert de ça dans mon enfance.
— Je me réveille en pensant à mon poids.
— Ce n'est plus possible de coucher comme ça à côté de mon mari sans qu'il dise rien.
— J'ai l'impression que tout le monde me regarde.
— Pour pouvoir être enfin ce que j'ai toujours voulu être.
— Parce que, quand je me suis mariée, mon mari disait que j'étais sa moitié; maintenant, il dit que je suis son double.
— Parce que je n'aime pas les gros.

LE BON CHOIX

Il y a sûrement d'autres dieux
que Cérès et Bacchus.

La pire des erreurs de régime, c'est d'avoir faim. Parce que la plupart des autres erreurs découlent d'elle.

Pour ne pas courir ce risque il faut envisager son alimentation sous l'angle positif : celui du choix et non pas sous l'angle négatif des suppressions.

Toute façon de se nourrir est faite de choix, d'habitudes. Un régime (n'importe quel régime d'ailleurs et pas seulement un régime amaigrissant), c'est un choix différent; c'est l'adoption d'autres habitudes. Ce changement n'est pas fait que de suppressions. Il comporte, parallèlement, une consommation plus importante d'autres aliments jusque-là délaissés ou méconnus.

Les nécessités du régime ne sont d'ailleurs pas seules à prendre en compte pour effectuer ce choix.

LES ÉCONOMIES D'ÉNERGIE

Plus question d'en faire sur le plan alimentaire. Il faut même utiliser toutes ses réserves. C'est pourquoi la plupart des régimes amaigrissants totalisent moins de calories que l'alimentation courante. La plupart, mais pas tous. Beaucoup comportent surtout des réaménagements, une répartition différente. En effet l'origine des calories alimentaires compte autant sinon plus que leur total.

— *Les protéines* qui ont un rôle d'entretien, de répartition, de construction de nos tissus doivent toujours être largement représentées. Ce qui permet de maigrir en brûlant uniquement les kilos de graisse accumulés en excès.

— *La cellulose*, indispensable à une bonne élimination intestinale et dépourvue de calories doit, aussi, avoir une large place. Il en est de même de l'eau.

— Par contre, les graisses *(lipides)*, les sucres, les farineux *(glucides)* qui sont, avant tout, fournisseurs d'énergie doivent être très surveillés. Les réserves accumulées dans les tissus gras sont là pour fournir le complément nécessaire. *L'alcool* qui, lui, n'apporte que des calories fait l'objet d'une interdiction absolue (la seule).

— Enfin, l'apport en *vitamines* diverses (A, D, B1, B2, PP, C...) et en sels minéraux (calcium, phosphore, fer...) doit être suffisant.

Tout serait très simple si les aliments contenaient uniquement un principe alimentaire. Mais c'est là l'exception. Les protéines de la viande, du poisson, des produits laitiers s'accompagnent de lipides; la cellulose des légumes et des fruits s'accompagne de glucides. Les éléments indésirables sont souvent associés à des principes nutritifs indispensables (vitamine A du beurre, vitamine C des fruits...).

En pratique, cela conduit à distinguer trois séries d'aliments :

— *autorisés à volonté :* viandes, poissons et produits laitiers les moins gras et la majorité des légumes verts;

— *autorisés en quantité limitée :* fruits frais, corps gras, farineux, sucres;

— *interdits :* l'alcool, les aliments vraiment trop gras ou trop riches en glucides en comparaison de leurs autres qualités nutritives (charcuteries, pâtisseries, bonbons...).

Malheureusement, même lorsque la feuille de régime est très détaillée, on ne sait pas toujours bien profiter de toutes les possibilités offertes par la première série. Tandis que l'on n'apprécie pas à leur juste niveau l'apport excessif des aliments de la troisième liste ou le dépassement des quantités limitées. Il faut reconnaître que les appellations légales ou courantes ne renseignent guère sur ce point.

Quelques exemples :

• VIANDES MAIGRES ET POISSONS GRAS

Viandes, poissons, volailles ont une teneur en protéines à peu près identique (environ 20 % de la partie comestible). Les principaux abats (foie, cœur, langue, ris, cervelle, rognons) leur sont sur ce plan à peu près comparables. Ils peuvent donc se substituer les uns aux autres.

La teneur en lipides, par contre, est très différente d'une espèce à l'autre et, pour une même espèce, d'un morceau à l'autre.

Il existe à ce sujet un certain nombre de confusions. Ainsi, la classification des poissons en maigres, gras et demi-gras permet de comparer les poissons entre eux. Elle n'est plus valable quand il s'agit de les comparer aux autres éléments protéiques. Bon nombre de demi-gras ne contiennent pas plus de lipides qu'une viande maigre.

Cette viande maigre, pour la plupart des consommateurs, c'est le bifteck. Nous parlerons plus loin de toutes les variétés de bifteck possibles. Leur teneur en lipides est de 10 à 15 % environ (graisse visible ôtée).

• *Sur ce même palier* (10 à 15 %) se situent : les autres morceaux de bœuf, le veau, le filet de porc, le gigot d'agneau ou de mouton, la dinde, le canard, le thon frais ou conservé au naturel, les sardines.

• *Un palier plus bas* (5 à 10 %), on trouve : le lapin, le poulet, la pintade, les rognons, la langue, le foie, la cervelle, la plupart des gibiers (faisan, lapin de garenne, lièvre...), le maquereau, le hareng, le turbot, le rouget.

• *Encore plus bas* (moins de 5 %) : les crustacés (2-3 %), les truites (2-3 %), le cheval (2 %), le pigeon (2 %), le gibier (2 %), les coquillages, huîtres, moules, dorade, sole, limande, raie, roussette, grondin (1 %), merlan, merlu, cabillaud (moins de 1 %).

• *Un peu au-dessus du bifteck* (20 à 25 %), on trouve : le jambon (22 %), les autres morceaux de mouton et d'agneau (23 %), l'anguille (25 %), les morceaux de porc autres que le filet et le jambon (25 %).

• *Et surtout :* l'oie (33 %), les charcuteries (de 31 % pour le boudin, à près de 60 % pour les rillettes).

Cette longue liste n'a pour but que de bien montrer toutes les possibilités du régime. Seuls les paliers élevés sont à éliminer de votre choix — et encore le jambon est-il habituellement autorisé en petites quantités.

Quant à l'étage du bifteck et aux étages inférieurs, s'il n'est pas question de se lancer dans des équivalences, rattrapages et calculs compliqués, il est évident que disposer d'un choix aussi varié permet de mieux négocier le virage du régime :

> ***Un régime amaigrissant, c'est un peu comme une épreuve sportive. Celui qui part gagnant a de fortes chances de réussir.***

— le bifteck est un aliment relativement coûteux. Mais bien des poissons et des volailles sont très abordables;

— le bifteck quotidien devient vite monotone. Mais on voit qu'il peut fort bien n'être qu'hebdomadaire, voire moins fréquent encore;

— le bifteck, lorsqu'on est appelé à manger à la cantine, se fait souvent rare, à moins que sa qualité ne laisse à désirer. Mais il n'est nullement une obligation du régime;

— le bifteck, on n'en a pas toujours envie lorsqu'on est invité au restaurant. Mais on a toutes les autres possibilités.

Nous en reparlerons plus loin (p. 28).

• FROMAGES, EAU ET MATIÈRES GRASSES

A quelques exceptions près *, les fromages indiquent un taux de matières grasses. Mais cette indication n'est pas très utile, car le calcul de ce pourcentage est un peu particulier. Il se rapporte non pas au poids total du fromage, mais à ce qu'on appelle l' « extrait sec ». C'est-à-dire le poids total du fromage moins le poids de l'eau qu'il contient. D'où ce paradoxe de fromage à 60 % de matières grasses moins gras que d'autres qui en annoncent 40 % seulement.

Si le fromage figure parmi les autorisations — limitées — de votre régime, le tableau suivant vous permettra d'organiser au mieux votre consommation.

* Les 21 fromages à appellation d'origine.

Nature du fromage	Teneur légale en matières grasses	Teneur en eau	Teneur réelle en lipides pour 100 g de fromage
Fromages frais double-crème	60 %	70 - 75 %	12 à 15 g
Fromages frais	40 %	80 %	8 g
Pâtes molles à croûte fleurie (camembert, brie...)	45 %	50 %	16 à 22 g
Pâtes molles à croûte fleurie type Sylphide	25 %	65 %	10,7 g
Pâtes molles à croûte lavée (pont-l'évêque, livarot, munster...)	45 %	40 à 50 %	20 à 23 g
Pâtes demi-dures (cantal, gouda, édam, saint-paulin)	45 %	35 à 45 %	23 à 26 g
Pâtes demi-dures type Sylphide et quelques tommes de montagne	25 %	62 %	11,2 g
Pâtes dures (comté, emmental, gruyère, parmesan)	45 %	35 %	30 à 33 g
Pâtes persillées	40 %	40 %	25 g
Fromages de chèvre	45 %	40 à 60 %	30 à 33 g
Fromages fondus type Samos ou Kiri	60 à 70 %	40 à 50 %	30 à 33 g
Fromages fondus type Vache qui rit	55 %	50 à 55 %	26 à 28 g
Fromages fondus type Sylphide	20 à 25 %	69 %	6 à 8 g

A ce tableau, il faut ajouter les fromages à 0 % de matières grasses qui ne contiennent pas de lipides, mais pas beaucoup d'autres éléments nutritifs non plus (82 à 85 % d'eau au minimum pour la plupart).

Un mot des autres produits laitiers.

Le lait peut être entier (35 g de matières grasses par litre), demi-écrémé (15 à 18 g de matières grasses par litre) ou écrémé (moins de 3 g de matières grasses par litre). Le lait entier est à exclure. Le lait écrémé représente une possibilité très intéressante pour les régimes stricts. Il existe divers moyens de le rendre plus agréable. Pour la plupart des régimes, le lait demi-écrémé (1,5 g de lipides pour un verre) permet de réaliser des préparations culinaires agréables, sans ajout de matières grasses ou presque.

Parmi les yaourts, choisir des yaourts nature courants, goût classique ou goût bulgare. Ils sont préparés à partir de lait demi-écrémé (1,5 g de matières grasses par pot). Éviter, par contre, les yaourts au lait entier et ne pas se croire condamné aux yaourts maigres, peu savoureux et, en conséquence, souvent sucrés par les fabricants.

• FRUITS ET LÉGUMES : C'EST UNE QUESTION DE GLUCIDES

La plupart des légumes se situent plutôt en bas de l'échelle : 3 à 6 %. Seuls font exception : les pommes de terre (20 %) et les légumes-graines : petits pois, haricots frais, fèves (18 à 20 %), qui se placent au même niveau que le riz ou les pâtes cuites et, par conséquent, se situent dans les autorisations limitées, voire dans les interdictions.

Quant aux fruits, leurs teneurs sont aussi variées que mal connues :

— *Les modestes* (6 à 10 %) : citrons, fraises, framboises, groseilles, melons, pamplemousses, pastèques.

Ce ne sont pas les moins parfumés. Ils sont une des grandes ressources pour varier les desserts.

Ces nouveaux venus, les fruits exotiques

Ils ont émigré des épiceries de luxe vers quelques marchés et grandes surfaces. Ils restent cependant des produits de luxe, beaucoup plus coûteux que les fruits de saison « bien de chez nous » et d'autres fruits tropicaux très répandus comme les agrumes ou l'ananas.

Exceptionnellement riches en vitamines C, apportant des saveurs nouvelles et parfumées qui nous étonnent ou nous ravissent, ils restent des éléments de variété intéressants, à consommer nature ou en sorbets. En tenant compte, évidemment, de leur apport glucidique :

Papaye	**10** %
Goyave	**11** %
Kaki, mangue	**15** %
Litchi (nature)	**16** %
Anone (ou corossol ou cachiman)	**18** %
Passiflore	**22** %

— *Les raisonnables* (10 à 15 %) : ananas, abricots, brugnons, clémentines, mandarines, oranges, pommes, poires, prunes, pêches.
Il y en a toujours un ou deux sur le marché. On ne s'en prive pas. Mais on les consomme avec modération.

— *Les importants* (20 %) : bananes, raisins, figues.
Ils rejoignent les pommes de terre sur le plan de l'apport en glucides. A n'utiliser qu'exceptionnellement et avec les plus grandes précautions (moitié moins que les autres fruits).

— *A éliminer :* les fruits secs (65 à 75 %), les marrons et châtaignes (40 %) et les avocats (parce qu'ils sont aussi très gras : environ 20 % de lipides).

• Les derniers éléments de choix concernent les corps gras. Ils sont *tous* très fortement restreints. Il n'est peut-être pas inutile de rappeler que *toutes* les huiles (arachide, olive, soja, maïs, tournesol, colza...) sont aussi grasses (99,9 % de lipides) et que *toutes* nécessitent les mêmes restrictions. Les choix à effectuer portent sur les qualités gustatives. D'autres choix peuvent être faits pour des raisons médicales (hypercholestérolémie). Ils dépassent le cadre de cet ouvrage.
Rappelons également que les margarines (dont la composition est, au demeurant, très variable) sont aussi grasses que le beurre. Et que, contrairement à elles, le beurre est une bonne source de vitamine A.

LE PLAISIR DE LA DÉCOUVERTE

Aussi étonnant que cela puisse paraître, dans un pays justement réputé pour ses traditions gastronomiques et malgré les innombrables livres et journaux consacrés à la cuisine et aux recettes, l'alimentation courante de beaucoup est désespérément monotone.
C'est ainsi qu'un régime peut être l'occasion de nombreuses découvertes. Celle de modes de cuisson un peu oubliés (la vapeur, par exemple, ou le braisé); nous en reparlerons plus loin. Mais aussi celle d'aliments peu consommés.
Il en est ainsi :
— d'un grand nombre de poissons.
Il existe en France, une quarantaine de poissons de mer courants et une vingtaine de poissons d'eau douce, plus quelques variétés locales. Êtes-vous certains de les avoir tous goûtés? La plupart des familles se limitent à trois ou quatre espèces et ne changent jamais;

— de nombreux légumes verts.

Savez-vous que l'on peut trouver au long de l'année cinq ou six variétés de tomates, une bonne douzaine de choux différents (sans compter le chou-fleur et le chou de Bruxelles), quatre variétés au moins de carottes? Mangez-vous au moins une fois par an des crosnes, des cardons, des feuilles de bettes, des brocolis? Si oui, vous êtes un amateur averti. Sinon, c'est peut-être le moment d'essayer;

— des petits champignons.

« Petits » comme on le dit des petits fromages ou des petits vins, et éclipsés par quelques « grands » : cèpes, girolles, champignons de couche. Ils n'ont souvent qu'une diffusion locale. Mais pourquoi ne pas en profiter?

L'INDISPENSABLE QUALITÉ

On ne fait de bonne cuisine qu'avec de bons produits. Surtout lorsque la préparation culinaire s'abstient des sauces, fritures et autres assaisonnements incompatibles avec la poursuite de la ligne, mais susceptibles de masquer quelques déficiences. Les produits de qualité ne sont pas forcément les plus chers. Il arrive même qu'ils soient meilleur marché. Vous trouverez, lorsque ce sera nécessaire, des conseils de choix plus précis concernant les recettes.

Voici quelques indications générales :

• VIANDES

Vous pouvez varier. Alors, ne lésinez pas!

— Évitez les viandes préemballées, souvent cause de mauvaises surprises, les obligations de l'étiquetage (date, morceau, poids...) étant souvent interprétées avec fantaisie.

— Optez pour une viande de première qualité. Il s'agit de bêtes élevées plus spécialement en vue de la consommation (bien des bovins travaillent), d'un âge correct et d'une bonne présentation.

— Choisissez le morceau qui convient à la préparation envisagée et demandez-le par son nom (on demande 1 kilo de rumsteck et pas un rosbif de 1 kilo).

Dans l'esprit de la qualité et de la découverte, on peut conseiller :

BŒUF :

Grillades : — onglet, araignée, bavette d'aloyau, hampe sont

peut-être un peu fermes. Mais ils ont tellement de saveur!
— filet et faux filet sont plus tendres, mais souvent un peu fades;
— l'entrecôte présente un pourcentage plus important de déchets;
— la côte de bœuf se grille mais se découpe comme un rôti. C'est délicieux mais cher.

Rôtis : — rumsteck, tranche, faux filet, filet.

AGNEAU, MOUTON :

L'agneau est plus « fondant ».

Préférez les gigots « ramassés ». Pensez aussi à l'épaule. Elle est plus grasse. Mais si vous la faites désosser pour la rouler, vous pourrez ôter une partie de tissu gras et elle est beaucoup plus abordable.

VEAU :

Non, il n'est pas meilleur quand il est bien blanc. Le « broutard » plus rose coûte moins cher et ne fond presque pas. Il convient mieux aux préparations compatibles avec un régime amaigrissant.

PORC :

Limitez-vous au filet. Et faites enlever ou éliminez vous-même un maximum de graisse de couverture.

• VOLAILLES

Les volailles d'élevage (poulet et dinde notamment, dans une moindre mesure pintade) sont moins chères que les volailles fermières. Elles sont habituellement vendues plus jeunes (donc riches en eau) pour un poids identique. Il est donc toujours préférable de jouer la carte de l'âge (le goût est plus net et la volaille fond moins).

POULET :

Ne l'achetez pas au-dessous de 1,200 kilo d'autant qu'il se mange très bien froid. Si vous êtes assez nombreux, optez pour un coq (plus de 2 kilos) plus âgé, mais encore tendre. Il fond moins à la cuisson et il est plus savoureux.

DINDE, DINDONNEAU :

Pour la première, choisissez des bêtes de 3 à 4,5 kilos; pour le second, entre 2,5 et 3,5 kilos. Si ces poids sont trop importants pour vous, achetez des cuisses (souvent dites « gigolettes ») ou des bêtes désossées et roulées en rôtis.

LAPIN :

Le poids optimal se situe aux environs de 1,5 kilo (dépecé). Vérifiez la couleur rouge franc du foie et la présence d'une légère couche de graisse blanche autour des reins.

Les autres volailles posent moins de problèmes.

A savoir : une pintade fait rarement plus de 3 ou 4 parts, un canard également (la carcasse est importante). Mais la première est moins chère.

• GIBIER

Sa saison est limitée. Il faut donc en profiter. D'autant plus que la mode du faisandage s'est beaucoup atténuée. Ce qui rend les digestions plus simples.

Une seule question : le gibier que vous allez acheter n'a-t-il pas été plus ou moins élevé avant de rencontrer le plomb fatidique? Vous n'aurez de certitude que si vous êtes chasseur, parent ou ami de chasseur ou si votre volailler n'a pas de secrets pour vous. Sinon, vous risquez (pas toujours, mais souvent) une certaine déception. Pensez aussi au gibier importé et au gibier surgelé (en vente eux aussi uniquement pendant la saison de la chasse). Leur qualité est habituellement bonne et leur prix intéressant.

• POISSONS

La première qualité d'un poisson, c'est la fraîcheur. On la reconnaît à un certain nombre de critères :

Odeur : — Fraîche, légère, agréable, rappelant l'algue marine (poissons de mer) ou les herbes aquatiques (poissons d'eau douce), sauf la raie qui peut, normalement, présenter une certaine odeur ammoniacale.

Chair : — Ferme et élastique.

Écailles brillantes et fortement adhérentes.
Peau tendue et bien colorée.
Poisson humide, recouvert d'un léger mucus transparent.

Viscères : — Abdomen ni gonflé, ni tendu, ni déchiré, ni affaissé.
Anus hermétiquement fermé.
Péritoine adhérant bien à la cavité viscérale.

Œil : — Clair, vif, brillant, occupant bien toute l'orbite.

Branchies : — Humides, brillantes, roses ou rouge sang.

Poissons vidés : — Colonne vertébrale adhérant bien à la chair. Chair de la paroi abdominale relativement claire (ni rouge foncé ni brune).

Tranches : — Vérifier :
• l'adhérence du tronçon de colonne vertébrale et la couleur de la chair avoisinante;
• la fermeté de la chair;
• l'état du péritoine à l'intérieur et la tenue de la peau à l'extérieur.

Filet : — Vérifier la fermeté de la chair et sa couleur au voisinage de l'emplacement de la colonne vertébrale.

En outre, le poisson doit toujours être présenté au froid et sous glace.

Les gros crustacés (langouste, crabe, homard) et les coquillages doivent être vivants lors de l'achat.

• FRUITS

La plupart sont normalisés. C'est-à-dire que leur présentation à la vente a été réglementée (calibre, régularité, absence de meurtrissures). Il existe ainsi quatre catégories :
— Extra : étiquette rouge.
— Catégorie 1 : étiquette verte.
— Catégorie 2 : étiquette jaune.
— Catégorie 3 : étiquette grise.

La normalisation ne tient malheureusement pas compte des qualités gustatives. Un fruit de catégorie 1 ou 2, un peu moins gros, un peu moins régulier est aussi bon qu'un fruit extra. Il est aussi bien moins cher. Il arrive même que ces fruits moins beaux soient plus savoureux. Il en est ainsi des reinettes clochard ou des reinettes du Mans, par rapport aux goldens.

Fruits ou légumes, il faut également toujours tenir compte du lieu et de la saison. Des primeurs, des fruits ou des légumes importés de très loin, d'autres qui voyagent mal sont toujours plus chers que les fruits du pays et de pleine saison. Ils sont aussi souvent moins savoureux et présentent des qualités nutritives moins marquées.

LE JOUR J

La plupart des fruits et des légumes ont une saison. Le poisson aussi puisque toutes les espèces ne se pêchent pas toute l'année; les fromages également. Dans leur cas, cependant, l'industrialisation a en grande partie effacé cette notion (sauf pour les fromages de chèvre qui restent pour une bonne moitié fermiers et plus abondants en fin de printemps, été, automne). De même, œufs, volailles et viandes

LE CALENDRIER DES LÉGUMES *

Artichauts : mars à septembre
Asperges : avril à juin
Aubergines : août à octobre
Batavia : juillet à octobre
Bettes : août à février
Betterave : décembre à mars
Brocolis : janvier à mars
Cardons : août à février
Carottes : toute l'année
Céleri en branches : décembre à juin
Céleri-rave : octobre à mars
Choux : novembre à mars
Chou-fleur : février à septembre
Chicorée : octobre à février
Citrouilles : novembre à mars
Concombres : mai à octobre
Courgettes : juin à septembre
Crosnes : novembre à février
Endives : novembre à mars
Épinards : novembre à février
Fenouil : novembre à mai
Haricots verts : juin à octobre
Haricots mange-tout : juin à octobre
Laitue : mars à novembre
Mâche : janvier à mars
Navets : nov. à janv. et de avril à juil.
Oseille : avril et mai
Poivrons : juin à octobre
Poireaux : toute l'année
Radis : avril à juillet
Romaine : juin et juillet
Salsifis : novembre à mars
Scarole : septembre à janvier
Tomates : mai à octobre

* Ce calendrier ne tient pas compte d'éventuelles variations régionales, ni du détail de toutes les variétés.

n'ont plus de saison. Seul le gibier voit sa vente limitée à la période de la chasse.

Le jeu des importations permet aussi de trouver pratiquement tous les fruits et tous les légumes toute l'année. Mais... pas au même prix.

Le calendrier ci-dessus est donc celui des légumes et fruits de l'hexagone (au maximum européens). Ces indications constituent seulement une moyenne. Il peut y avoir quelques décalages d'une région à l'autre ou d'une année à l'autre, en fonction des conditions climatiques.

Une petite précision : on peut avoir à la fois des problèmes de poids et des ennuis colitiques. Si tel est votre cas, vous connaissez déjà les réactions de votre côlon aux épinards, choux et autres concombres. Respectez-les. Mais ne vous étonnez pas que nous conseillions ces légumes. Il existe tant de « petits veinards » pour qui la question ne se pose pas! D'ailleurs, la suppression des sauces grasses, autres agresseurs de votre tube digestif, vous permettra peut-être de profiter, vous aussi, de ces dignes légumes.

LES BONS OUTILS

On ne fait de bonne cuisine qu'avec des denrées de qualité, nous en avons parlé. On ne fait pas davantage de bonne cuisine sans un matériel bien adapté à la cuisson envisagée et bien entretenu.

La cuisine allégée ne nécessite pas un matériel spécial, ni un matériel particulièrement coûteux. Tous les ustensiles qui permettent sa réalisation sont d'usage courant. On peut se les procurer non seulement dans les commerces spécialisés, mais aussi dans les grands magasins et supermarchés. Ils figurent également sur les catalogues de vente par correspondance. Comme pour les denrées, il est toujours préférable de ne pas lésiner sur la qualité. Mais, encore une fois, qualité ne signifie pas prix extravagants. Enfin, plus que jamais, un entretien soigneux est indispensable; vous ne pourrez pas rajouter un peu de corps gras si votre gril ou votre fait-tout attachent (pratique qui n'est d'ailleurs jamais à conseiller).

• LES POÊLES QUI N'ATTACHENT PAS

Il y a une vingtaine d'années que l'on utilise un revêtement intérieur antiadhésif d'abord pour les poêles, puis pour les casseroles, sauteuses, fait-tout, plats à four... Ce revêtement isolant est un dérivé du fluorure de calcium et du chloroforme, le polytétrafluoréthylène ou, en abrégé, P.T.F.E. *. Le P.T.F.E. est d'une remarquable inertie. Sans goût, sans odeur, il ne se dissout dans aucun solvant; n'est attaqué ni par les acides ni par les alcalins. Il ne s'enflamme pas et résiste à des températures de 400°. Cette neutralité absolue a permis au P.T.F.E. de trouver maintes applications en chirurgie. Son emploi le plus courant reste cependant le revêtement des ustensiles de cuisine, revêtement obtenu par ancrage dans la majorité des cas (en France tout au moins). On crée des cavités dans l'aluminium, au moyen d'acide chlorhydrique. Le P.T.F.E. y pénètre et un laminage l'incruste. Ainsi traitées, poêles et casseroles permettent de n'utiliser que peu ou pas de corps gras.

La différence de prix est appréciable entre des récipients enduits de P.T.F.E. et des récipients en aluminium de bonne qualité. Et l'on peut hésiter devant un tel achat. Les ustensiles les plus utiles sont les poêles, les plats à œufs, les sauteuses, les fait-tout. Les casseroles courantes rendent moins de services.

— *L'achat :* on se préoccupera surtout de l'épaisseur et de la stabilité de ces ustensiles, car leur beauté, leur couleur et leur décoration sont là uniquement pour le plaisir. La plupart des ustensiles à fond recouvert de P.T.F.E. conviennent aussi bien aux plaques électriques qu'aux brûleurs à gaz. Il existe aussi des gammes spécialement étudiées pour l'électricité.

— *L'entretien :* ces récipients n'attachent pas. Il est cependant préférable de les graisser légèrement lors des premières utilisations. Le revêtement est aujourd'hui moins fragile qu'à ses débuts. Cela ne dispense pas de quelques précautions lors de l'utilisation ou du nettoyage :

- préférer cuillers et spatules en bois à des instruments métalliques pour remuer ou couper une préparation à l'intérieur du récipient;
- au nettoyage, éviter les abrasifs (éponge métallique, tampons de laine d'acier, chiffons de laine de verre, poudres à récurer). Si les récipients sont très sales, faire tremper à l'eau savonneuse ou javellisée, brosser et rincer.

Bien entretenues, les batteries de cuisine enduites de P.T.F.E.

* Le P.T.F.E. est commercialisé sous les marques suivantes : Téflon (Du Pont de Nemours), Soréflon (Péchiney, Ugine Kuhlmann), Fluon (Imperial Chemical Industries), Hostaflon (Farbwerke Hoechst) et Algoflon (Montedison).

N.B. Certaines consommatrices hésitent encore à utiliser le P.T.F.E., craignant son « rôle cancérogène ». Il convient de les rassurer : ce matériau est inoffensif.

durent des années. Les poêles doivent être remplacées après 2 à 3 ans environ. Une précaution qu'il serait d'ailleurs sage d'observer avec toutes les poêles quel que soit le matériau.

• LE GROS MATÉRIEL

Il vous servira à griller, braiser, cuire à l'eau, à la vapeur.

L'AUTOCUISEUR

Sa caractéristique : cuire sous pression, à l'abri de l'air à une température de 110° à 120° C habituellement, ce qui va à peu près trois fois plus vite que par d'autres moyens et demande moitié moins de liquide ou de corps gras.

L'autocuiseur est l'instrument par excellence des cuissons longues à l'eau, à la vapeur, braisées.

Plus de la moitié des foyers français utilisent un autocuiseur. Les marques, les modèles, les présentations se sont multipliés. Ils doivent de toute façon correspondre à une norme A.F.N.O.R. de 1955.

Un autocuiseur se compose :

— d'un *récipient* plus ou moins volumineux (3,5 à 22 l) et plus ou moins épais (4 à 7 mm);

— d'un *couvercle* muni d'un système hermétique de fermeture (étrier le plus souvent, baïonnette, glissière...);

— de *dispositifs de sécurité :* soupape évacuant de la vapeur pendant la cuisson, assortie d'un système de secours (bouchon, pastille ou bille) libérant un orifice dans le couvercle si la pression s'élève par trop et que la soupape en vienne à ne plus jouer son rôle.

Les autocuiseurs actuellement sur le marché sont en aluminium laminé embouti, en alliage d'aluminium fondu moulé, en tôle d'acier émaillée, en acier inoxydable, éventuellement à fond sandwich (incorporation d'une épaisseur de cuivre permettant une meilleure diffusion de la chaleur). Certains sont recouverts intérieurement de P.T.F.E. Le plus récent possède un fond tous feux, utile lorsqu'on cuisine aussi bien au gaz qu'à l'électricité.

Les prix varient avec les contenances et avec la nature du matériau utilisé.

— *L'achat :* il doit tenir compte de :

• *La contenance*, il vaut mieux prévoir grand. La capacité est toujours indiquée. Il faut compter :

— 4 à 6 l pour 2 ou 3 personnes;
— 7 à 8 l pour 4 ou 5 personnes;
— 8 à 10 l (éventuellement plus), au-delà.

Tenez également compte du volume des préparations que vous comptez y faire. La contenance utile est environ les deux tiers de la contenance nominale. Pas plus qu'une casserole, un autocuiseur ne se remplit à ras bord.

• *Le matériau*, le plus pratique est l'aluminium laminé embouti. Si vous pensez préparer souvent des braisés, voire des rôtis (c'est possible), adoptez le revêtement antiadhésif : vous n'aurez besoin que de très peu de corps gras.

L'acier inoxydable, habituellement plus cher, a tendance à attacher. Quant aux autocuiseurs colorés et décorés, ils n'ont de qualité particulière que leur aspect plaisant. Un cadeau que vous faites à votre cuisine en quelque sorte.

— *L'entretien :* il est identique à celui d'un récipient courant (casserole, fait-tout...) fait du même matériau. Veillez tout particulièrement à bien nettoyer les bords du récipient et le couvercle. Ce dernier se lave à part, à l'eau très chaude additionnée de produit nettoyant. On le rince et on l'essuie immédiatement.

Le bon état du joint doit être vérifié régulièrement. Il faut le changer tous les ans environ.

Entre deux emplois, rangez l'autocuiseur non fermé, le couvercle retourné posé sur l'appareil. Il tiendra ainsi moins de place et ne gardera pas d'odeur.

LE GRIL

Griller un aliment, c'est le soumettre directement à une chaleur intense. Ce qui peut se faire de deux façons :

— en le déposant sur une surface pleine préalablement chauffée : c'est la *grillade par contact;*

— en le plaçant à faible distance d'une forte source de chaleur : c'est la *grillade par rayonnement.*

Il existe des grils pour ces deux types de grillades.

Grils de contact

Les grils *classiques* se posent sur la flamme du gaz ou sur la braise. Ils sont totalement plats, ou cannelés pour permettre l'écoulement de la petite quantité de jus provenant de la cuisson. Matériaux : fonte et fonte d'aluminium. De plus en plus, on les recouvre intérieurement de P.T.F.E.

Les grils *électriques* sont constitués d'une — parfois deux — plaque épaisse en alliage d'aluminium recouvert de P.T.F.E. sous laquelle se trouvent des résistances électriques (puissance de 1 100 à 1 700 W). Les grils à deux plaques se referment (comme un gaufrier) et les deux côtés de la grillade cuisent en même temps.

Grils par rayonnement

Ils sont à claire-voie. Les plus simples sont ceux des fours, électriques et à gaz, et des rôtissoires. On les place sous la source de chaleur. Une lèchefrite, en dessous d'eux, recueille les jus.

Les autres grils se placent au-dessus de braises rouges. C'est le cas des barbecues, des grillades de plein air ou dans la cheminée.

Utiles pour les poissons et pièces fragiles : les grils doubles que l'on referme sur la pièce à griller. On retourne en même temps le gril et la grillade qui ne s'abîme pas.

Les grils électriques par rayonnement sont verticaux. Leur fonctionnement rappelle celui des grille-pain. Les pièces à griller sont déposées dans une sorte de gril double à claire-voie, le « panier » que l'on place soit entre deux éléments chauffants (une seule grillade dont les deux côtés cuisent en même temps), soit de chaque côté d'un élément chauffant central (deux grillades qu'il faut retourner). Le jus est recueilli dans une lèchefrite à la partie inférieure du gril. L'élément chauffant est habituellement un tube à quartz.

— *L'achat :* Choisissez :
- un gril *stable*, donc assez lourd et de forme bien étudiée;
- un gril *solide* qui ne se déforme pas (il deviendrait instable et la chaleur se répartirait mal);
- un gril *maniable* si vous devez le déplacer (grils posés sur une flamme ou des braises);
- un gril *facile à nettoyer :* grils faits d'un matériau lisse, grils électriques démontables.

— *L'entretien :* Un gril doit en effet toujours être parfaitement nettoyé. C'est la condition sine qua non de grillades futures qui n'attacheront pas. Contrairement à l'affirmation de nombreux vendeurs et de bien des publicités, ce n'est pas si simple. D'où les vérifications ci-dessus lors de l'achat. Ce nettoyage se fait avec de l'eau chaude additionnée de détergent en frottant avec une brosse à poils durs, voire, s'il ne s'agit pas d'un revêtement antiadhésif, un tampon à récurer. Il est même souvent nécessaire de mettre à tremper les grils où les aliments ont attaché. Lorsqu'il s'agit d'un gril électrique dont les plaques ne sont pas amovibles, on laissera une petite éponge imprégnée du mélange eau + détergent en contact avec les points litigieux. Il faut ensuite rincer, égoutter et essuyer soigneusement.

• UTILES, MAIS PAS INDISPENSABLES

Ce sont, dans l'ordre :

— *La poissonnière :* c'est un ustensile tout à fait classique mais de moins en moins utilisé dans la cuisine familiale. Elle permet pourtant de cuire les grands poissons au court-bouillon dans les meilleures conditions (sans qu'ils se brisent ou se déforment). Si vous devez vous offrir un petit supplément de batterie de cuisine, achetez une poissonnière.

— *Le cuiseur à vapeur :* il se compose d'un fait-tout et d'une passoire rigide amovible destinée à recevoir les aliments (c'est le système du couscoussier). Si l'on désire une bonne qualité, c'est un instrument coûteux. Même en considérant qu'il peut servir à la fois de fait-tout (sans passoire) et de cuiseur à vapeur. La cuisson est assez longue. Mais les aliments se déforment moins que dans la plupart des paniers d'autocuiseur. Ils s'imprègnent mieux des saveurs dans le cas de vapeurs parfumées.

— *Le diable et ses dérivés :* un diable se compose de deux poêlons de terre cuite que l'on retourne l'un sur l'autre. On y fait cuire traditionnellement des pommes de terre ou des châtaignes à l'étouffée. Il peut aussi servir pour réaliser une cuisson au four pratiquement sans matières grasses. Il existe même une cocotte spécialement prévue pour cet usage. Il faut acquérir le tour de main, c'est vrai, mais on s'y fait assez vite. Seul inconvénient : la cuisson est allongée d'un bon tiers, par rapport aux méthodes classiques.

• DES ACCESSOIRES QUI NE LE SONT PAS

Il s'agit de petits appareils électroménagers qui permettent d'obtenir des consistances agréables. Ils sont d'ailleurs utiles dans toute cuisine.

— *Le batteur électrique :* Qui permet de monter rapidement une fausse mayonnaise (une vraie aussi d'ailleurs), de battre sans peine des blancs d'œufs en neige, de rendre onctueux un fromage à 0 % de matières grasses. Les modèles les plus simples sont tout à fait suffisants.

— *Le mixer :* Pour faire très vite des purées. Ici encore les modèles « plongeants » (on plonge les lames tranchantes dans le récipient où se trouvent les légumes) les plus simples suffisent.

— *Un pinceau :* Pas trop large pour graisser (sans trop) le dessus des pièces à rôtir ou à griller.

— *De bons couteaux :* Pour désosser, lever des filets de poisson, émincer des légumes.

— *L'aluminium ménager :* Indispensable aux papillotes ou pour préserver du coup de chaleur un rôti mis au four sans graisse.

— *Le papier absorbant :* Grâce auquel on peut, dans un premier temps, faire revenir et dorer des viandes ou des légumes dans une petite quantité de corps gras (ce qui leur donne un bel aspect et provoque une certaine coagulation en surface), puis l'éliminer avec son aide avant de poursuivre la préparation (braisés notamment).

Un hachoir électrique peut vous rendre des services si vous faites beaucoup de hachis, juliennes, etc.

Les robots, ces appareils censés tout faire à condition de changer certains embouts et accessoires, demeurent si l'on tient à une bonne qualité, et c'est préférable, des ustensiles coûteux. On finit souvent par s'en lasser, le changement d'accessoires n'étant pas toujours des plus simples, l'entretien pas davantage. Mieux vaut disposer de deux ou trois appareils individuels bien adaptés aux deux ou trois préparations les plus couramment réalisées (habituellement : batteur, mixer, hachoir) et immédiatement prêts à l'emploi.

Tous ces ustensiles, grands et petits, sont, répétons-le, de ceux que l'on utilise couramment, en dehors d'un régime. Ils auront simplement leur plein emploi dans le cadre d'une cuisine allégée. Il n'est pas nécessaire de chercher plus compliqué.

LE BON GOUT

« La bonne cuisine, c'est quand les choses ont le goût de ce qu'elles sont. »
CURNONSKY

« L'Angleterre a trois sauces et trois cents religions ; la France n'a que trois religions, mais elle a trois cents sauces. Toute la différence est là. » C'est à Talleyrand que l'on prête cette boutade — avec beaucoup d'autres.

Toute diplomatie mise à part, la lecture des livres de cuisine classiques, cuisine dite bourgeoise ou grande cuisine, est édifiante quant au nombre et à la complexité des sauces et à leur utilisation quasi universelle.

On mange avec les autres, mais on digère tout seul.

Manque de temps pour la préparer, la consommer ou... la digérer, le règne de la sauce semble terminé. Tout au moins celui de la sauce lourde et grasse. Celle dont on disait qu'elle faisait le poisson (et les autres denrées du reste). On trouve logique que les choses aient le goût de ce qu'elles sont. Ce qui n'empêche pas d'améliorer ce goût, de le rehausser, de le prolonger.

C'est ainsi que la cuisine allégée dispose de nombreux atouts. En principe tout le monde les connaît. Mais, dans la pratique, on oublie souvent beaucoup d'entre eux. Et pourtant, la liste est longue. Jugez vous-même.

LES FINES HERBES ET LES AROMATES

On donne plus volontiers le nom de « *fines herbes* » aux plantes employées fraîches : persil, cerfeuil, estragon, sauge, basilic, menthe, sarriette.

Le temps a disparu où le brin de persil était donné par-dessus le marché, mis dans le panier au-dessus des tomates, du bifteck, des haricots verts... Les petits bouquets de persil, estragon, cerfeuil et autres ne sont peut-être pas très coûteux en eux-mêmes (et encore, pas toujours!). Mais il est rare que l'on ait l'utilisation du bouquet entier avant qu'il ne se fane, même en prenant la précaution de le mettre dans l'eau. Sans parler de la fraîcheur parfois douteuse, des périodes de gel où ils se vendent à prix d'or, quand il y en a. Ce qui explique la vogue des « jardins d'herbes », petits récipients où l'on cultive chez soi à longueur d'année, de petites quantités de fines herbes dont on dispose ainsi toujours en pleine fraîcheur.

On peut aussi faire sécher les fines herbes. Ou les acheter déjà séchées en petits flacons. Mais sauf pour l'estragon et la sarriette, la saveur n'y est plus. L'arrière-goût peut être désagréable.

BON A SAVOIR :

— Le *persil* commun à tige mince et feuilles plates est plus parfumé que le persil frisé. Le persil s'associe avec toutes les autres fines herbes.

— Le *cerfeuil* au parfum volatil se hache le plus tard possible avant le service. A éviter avec grillades et viandes rouges. L'employer de préférence seul ou avec du persil.

— L'*estragon* a un parfum très pénétrant et ne doit être utilisé qu'avec modération.

— La *menthe* fraîche, moins employée, relève agréablement des crudités (laitue, tomates, concombres), du mouton grillé ou rôti et des sauces au yaourt.

— Même remarque pour le *basilic.*

— La *sarriette* peut s'employer fraîche ou séchée sur des grillades ou avec des poissons pochés.

— La plupart des fines herbes sont disponibles toute l'année conservées dans l'huile (Herborettes). Le parfum est prononcé et il faut très peu du mélange pour relever une préparation. La quantité d'huile ainsi utilisée (faible, au demeurant) doit être prise en considération.

— Les *plantes aromatiques* s'emploient surtout après séchage. On peut les acheter en bouquets ou en petits pots ou les cueillir fraîches et les faire sécher d'une année sur l'autre.

BON A SAVOIR :

— Le *fenouil* s'utilise classiquement avec le bar et le rouget grillés. Il est aussi très agréable avec des plats à base de tomates, courgettes, aubergines. Il s'agit là des branches et des graines. Si vous utilisez en légumes des bulbes de fenouil, gardez les petites feuilles vertes qui se trouvent à leur base et utilisez-les fraîches. Elles rappellent l'*aneth* des recettes scandinaves (lequel n'est d'ailleurs qu'une sorte de fenouil).

Les seules glandes en cause dans l'obésité sont les glandes salivaires.

— Le *thym* est universel, en ce sens qu'il s'accorde pratiquement avec tous les types de denrées. On peut l'employer en branches ou effeuillé.

— L'*origan* ou marjolaine rappelle le thym en plus parfumé. Il a les mêmes utilisations.

— Le *laurier* doit être employé avec discrétion; dans le cas contraire, il laisse un arrière-goût amer. Le bouquet garni comporte quelques brins de thym, une feuille de laurier et du persil.

— Le *romarin* donne une note chaleureuse aux plats un peu fades (quelques branches dans le ventre d'un poulet ou d'un poisson blanc leur confèrent une saveur recherchée). Il est aussi excellent sur les grillades et les braises du barbecue.

— Le *genièvre*, en gros grains noirs accompagne particulièrement bien le romarin. Tous sont des éléments classiques des marinades.

— La *coriandre*, autre plante aromatique dont on utilise les graines séchées, confère une note originale au pot-au-feu et à de nombreuses cuissons à l'eau. Indispensable pour les légumes à la grecque.

— L'*anis*, le *cumin*, le *carvi* servent également à parfumer marinades et eaux de cuisson. A utiliser avec modération.

— Les *bulbes* (à condition de bien les digérer) sont une providence pour la préparation des braisés, des sauces légères (légères sur le plan matières grasses), des liquides de cuisson et de nombreux rôtis.

En tête, l'*ail*, classique pour la préparation du gigot et du filet de porc et pour parfumer les salades. Si l'on veut éviter le pain des classiques chapons* dans certaines salades, on peut frotter d'ail les parois du saladier. A condition de l'utiliser avec discernement l'ail s'assortit à de multiples préparations (légumes à la vapeur, poulet, lapin...).

Il en est de même pour l'*oignon* ou plutôt les oignons, car ils sont multiples. Ils s'emploient crus, cuits ou conservés au vinaigre. L'emploi d'un lit d'oignons sous des légumes, un poisson, une viande permet de n'employer que peu ou pas de corps gras lors d'une cuisson au four ou d'un braisé.

— L'*échalote* à la saveur violente doit s'utiliser avec discrétion. Intéressante : la réduction d'échalotes dans du vinaigre qui parfume aussi bien les sauces allégées que les sauces classiques.

— Pour la *ciboule* et la *ciboulette*, on utilise la tige et non le bulbe. A couper aux ciseaux plutôt qu'au hachoir électrique ou mécanique.

— Et puis essayez certaines plantes destinées à la préparation des tisanes, *menthe* et *verveine* notamment, pour la préparation de plats salés. C'est original et très bon.

LES ÉPICES ET LES CONDIMENTS

Les épices n'ont plus aujourd'hui rien de rare. Tous les supermarchés ont leur présentoir où s'alignent en flacons bien fermés ces produits pour la plupart d'origine exotique. La plupart sont de bonne qualité et conservent longtemps leur parfum — à condition de bien refermer l'emballage d'origine. Heureusement, car les quantités proposées représentent un nombre de préparations respectable.

BON A SAVOIR :

— Le *clou de girofle*, ne s'utilise pas seulement piqué dans les oignons du pot-au-feu ou du court-bouillon. Il permet de parfumer marinades et cuissons à l'eau ou à la vapeur.

— Le *poivre* revêt plusieurs aspects :

• poivre noir à petites graines simplement séchées;

* Petits croûtons de pain frottés d'ail.

> ***« Je peux résister à tout, sauf à la tentation. »***
>
> OSCAR WILDE

- poivre blanc plus gros, plus parfumé, le plus intéressant dans le moulin;
- poivre en poudre, souvent décevant et qu'il vaut mieux éviter;
- poivre concassé ou mignonnette à saupoudrer sur le dessus des rôtis ou grillades (côte de bœuf notamment);
- poivre vert, fruits frais surgelés ou stérilisés. Son goût très fin convient particulièrement à des préparations de luxe (son prix aussi).

— La *noix muscade* ne s'accorde qu'avec un petit nombre de préparations et s'emploie à chaque fois en petite quantité : épinards, veau, coquilles Saint-Jacques, poires ou pommes cuites.

— La *cannelle* s'associe très bien avec la noix muscade, toutes deux se mettant en valeur mutuellement.

— Le *paprika* vient du piment de Hongrie. Assez relevé, il convient très bien aux sauces à base de yaourt, fromage blanc, bouillon, jaune d'œuf. Sa couleur est, par ailleurs, agréable à l'œil.

— Le *poivre de Cayenne*, qui provient lui aussi d'un piment, a une saveur brûlante. On l'utilise par pincées et « pointes de couteau ».

— Le *safran*, la plus chère de toutes les épices, s'utilise avec encore plus de parcimonie. Indispensable aux préparations type soupes de poissons. A essayer dans la ratatouille et les sauces qui accompagnent les crustacés.

— Le *gingembre* peut s'utiliser séché ou confit. On le râpe soit avec une râpe spéciale (en vente dans les magasins d'objets exotiques) ou avec le type de râpe utilisé pour la noix muscade. On aime ou on n'aime pas. Mais il faut tenter au moins un essai. Car c'est l'un des meilleurs moyens d'« habiller » une préparation banale. Il permet en outre d'utiliser moins de corps gras, de sel et de sucre. Saveur brûlante : à employer en quantités soigneusement dosées.

— Le *curry* ou *cary* ne s'emploie pas que pour parfumer le riz. Il convient parfaitement à la préparation du poulet, du veau, de la plupart des poissons blancs.

— La *vanille* (en gousse ou en poudre) n'est pas davantage réservée aux seuls desserts et entremets. Elle donne une grande finesse aux sauces et à un grand nombre de purées de légumes.

— A rapprocher : les préparations en sachet pour court-bouillon, les bouillons en cubes ou en tablettes, les « aides culinaires », fonds de sauces en tablette, le Viandox. Ils permettent de gagner du temps pour préparer des milieux de cuisson parfumés et l'on peut toujours les améliorer avec l'une ou l'autre des denrées évoquées dans ce chapitre.

— Parmi les *condiments*, le premier à citer est le *sel*. Il faut le répéter, la suppression du sel ne fait pas maigrir *. Une consommation raisonnable reste donc parfaitement « dans la ligne ». Consommation raisonnable, cela veut dire respecter les proportions de la recette (pas plus qu'un autre assaisonnement, le sel ne doit être un éblouissant du goût) et ne pas resaler à table.

BON A SAVOIR PAR AILLEURS :

Les *moutardes* accompagnent grillades ou viandes bouillies et servent aussi à préparer des plats au four et des sauces. Les moutardes fortes (moutarde de Dijon, lisse, et moutarde de Meaux où les graines se retrouvent entières) relèvent le goût sans le déformer. Les moutardes dites douces, toutes aromatisées, le modifient toujours un peu. C'est une question de convenance personnelle.

A rapprocher des moutardes, les *assaisonnements* en pot qui en ont l'aspect (type Savora) et les *tomato ketchups* (il en existe différentes sortes plus ou moins relevées). Ils s'utilisent nature ou en accompagnement ou entrent dans des préparations.

Attention, par contre, aux sauces toutes prêtes (mayonnaises, béarnaises et autres) qui conduisent vite à une consommation de corps gras trop importante.

Les *cornichons* et les *câpres*, conserves au vinaigre, accompagnent les premiers plutôt les viandes, les secondes plutôt des poissons. On peut également s'en servir pour préparer des assaisonnements.

A rapprocher : les pickles, que l'on peut acheter tout prêts ou préparer soi-même (voir p. 96).

LES ACIDES ET LES ALCOOLS

Les acides ce sont avant tout les *vinaigres*. Ils sont de vin (le plus recherché est le vinaigre de xérès), de cidre, d'alcool. Les derniers servent surtout à préparer cornichons, câpres et pickles. Les autres ont leur goût bien à eux. Un vinaigre ne sert pas seulement à préparer

* Les régimes désodés ne sont nécessaires que lorsque l'obésité s'accompagne d'hypertension ou s'il faut éliminer des œdèmes. On élimine alors de l'eau et non de la graisse. Or c'est de graisse que sont faits les kilos de trop.

les sauces auxquelles il a donné son nom. Il entre dans la composition des courts-bouillons et, utilisé en petites quantités, aide à relever ou à déglacer * diverses sauces chaudes.

Mêmes utilisations pour le *jus de citron* qui, par ailleurs, permet de conserver leur blancheur à un certain nombre d'aliments (champignons de couche, fonds d'artichauts...). Si l'on ne doit utiliser que quelques gouttes de jus de citron, on peut soit piquer un citron avec les dents d'une fourchette et le presser (utiliser rapidement le reste du citron), soit utiliser du jus de citron tout prêt en bouteille (non sucré, mais légèrement additionné d'eau).

BON A SAVOIR :

— Le *jus d'orange*, le *jus de pamplemousse* peuvent remplacer le jus de citron (totalement ou en partie) dans la préparation de certaines salades, notamment lorsque le fruit en question y figure.

— Les *zestes de citron* et *d'orange* servent également à parfumer des préparations de légumes, viandes blanches ou poissons (l'écorce d'orange est un ingrédient classique de la bourride, sorte de bouillabaisse de la région sétoise).

— Quant aux *alcools*, que leur emploi en cuisine ne vous fasse pas sourciller. Employés à froid dans des marinades, ils ne sont présents qu'en très petites quantités. Employés à chaud pour remplacer le vinaigre (courts-bouillons au vin blanc par exemple), pour pocher une viande ou un poisson (huîtres pochées au champagne) ou pour flamber une viande, un poisson, un crustacé, ils ne cèdent guère que leur parfum; l'alcool, lui, s'évapore.

Mais n'en prenez pas prétexte pour penser que vous pouvez sans problème dépasser les quantités autorisées (ou interdites).

HUILES ET SUCRES

Leur utilisation demande la plus grande modération.

Il est donc toujours intéressant de faire appel à des huiles parfumées dont une petite quantité suffit à personnaliser une préparation : huile d'olive, huile de noix, ou tout simplement huile d'arachide, de tournesol ou de soja où l'on aura fait macérer de l'estragon **.

* Voir le vocabulaire de la cuisson au four p. 59.

** Les huiles de tournesol, de maïs et de soja doivent être réservées pour les emplois crus. L'huile de paraffine est un produit de remplacement classique des huiles courantes. Elle ne doit jamais chauffer (voir p. 242).

Quant au *sucre*, il fait partie de ces « éblouissants du goût » qui, employés en quantités trop importantes masquent la saveur réelle des denrées qu'ils accompagnent. On arrive habituellement assez vite à boire sans sucre son thé ou son café (c'est d'ailleurs ce que font les connaisseurs), à manger tel quel son yaourt ou son fromage blanc. Ce qui permet de réserver à un dessert plus élaboré les petites quantités autorisées. On peut aussi adopter la même méthode que pour les huiles et utiliser des sucres parfumés : sucre vanillé, sucre au citron ou caramel liquide. On obtient une saveur agréable pour des quantités plus faibles (les 8 g d'un sachet de sucre vanillé ou citronné remplacent facilement une quantité double de sucre nature).

« C'est facile de suivre un régime amaigrissant, je l'ai fait au moins cent fois », aurait pu dire Mark Twain.

A défaut, il est toujours possible de recourir à des édulcorants de synthèse : ce sont des saccharines ou des cyclamates. Ils se présentent en gouttes, en liquide, en comprimés plus ou moins petits et même en petits cubes. L'emballage indique à quelle quantité de sucre correspondent un comprimé, un cube, tant de gouttes ou telle quantité de poudre. Cubes et comprimés conviennent mieux pour les boissons chaudes, liquide et poudre pour les desserts. A noter cependant : on peut, évidemment, les ajouter à de l'eau pour pocher des fruits, ou à des blancs d'œufs battus. Les résultats restent différents, notamment sur le plan de la consistance, de ce que l'on obtient avec un sirop ou un meringuage classiques.

Rappelez vous toujours qu'il n'y a pas de pilule miracle qui permette de manger comme deux et de maigrir comme trois.

LES BONNES FAÇONS

De même que la nécessité de maintenir son poids amène à découvrir un certain nombre d'aliments jusque-là peu ou pas utilisés, de même elle conduit à se pencher de plus près sur la façon de les préparer. Pas question de camoufler une fausse manœuvre sous un petit supplément de beurre ou de sauce. Pas question davantage, faut-il le répéter, de faire une cuisine insipide ou pâlotte. C'est dire qu'il est indispensable de bien connaître les différents modes de cuisson et toutes les possibilités qu'ils offrent.

De nombreux chefs parmi les plus grands l'ont bien compris qui font dans leurs cartes une place importante à des préparations parfaitement compatibles avec le maintien de la ligne, une digestion sans problème et des idées claires.

Nous en avons rencontré plusieurs dont nous vous donnons les trucs, les conseils et quelques recettes. Cependant, prenez-en votre parti. Quel que soit votre talent, vous n'arriverez que bien rarement à réaliser chez vous ce que vous aurez savouré chez eux. Les recettes des restaurants passent difficilement des fourneaux à la kitchenette. D'abord parce qu'il y a le talent : s'ils ont acquis la célébrité qui est la leur, ce n'est pas par hasard. Ensuite, il y a le métier acquis pendant un long et minutieux apprentissage où l'on retient la technique de celui-ci, le tour de main de celui-là, la trouvaille d'un troisième pour les fondre à ses propres idées et en faire *sa* cuisine, sans cesse revue et perfectionnée. Enfin, il y a l'installation, les quantités (on ne cuisine pas de la même façon pour deux, quatre ou dix), le temps passé. En cuisine de restauration, on peut préparer minutieusement certains éléments de base parce qu'ils aideront à la réalisation de plusieurs plats différents. Une telle réalisation se révèle fastidieuse chez soi. Enfin, il est souvent impossible à une seule personne de faire toutes les opérations de dernière minute. Les recettes que vous trouverez plus loin sont des recettes ménagères, plus ou moins longues mais habituellement simples. Celles de ce chapitre sont parfois un peu plus compliquées, bien qu'adaptées aux possibilités ménagères. Elles pourront vous aider, d'une part, à préparer des menus de réception, d'autre part, à exercer, vous aussi, votre bon sens et votre imagination.

CUIRE ? DE QUOI S'AGIT-IL ?

Cuire un aliment, c'est le soumettre à l'action de la chaleur. Ce qui va entraîner diverses modifications portant :

— sur la texture : les protéines coagulent (l'exemple le plus visible est celui du blanc d'œuf), les fibres cellulosiques des légumes s'attendrissent, les graisses fondent, les amidons caramélisent dans une cuisson à sec ou forment un empois avec un liquide;

— sur la saveur : inutile de préciser qu'un aliment cuit n'a pas le même goût qu'un aliment cru. En outre, il peut se produire des échanges de saveur entre l'aliment et son milieu de cuisson. Au bénéfice ou au détriment du premier;

— sur la valeur nutritive : de même que les « substances extractives », celles qui sont à l'origine du goût passent, si l'on n'y prend garde, dans le milieu de cuisson (eau, notamment), de même les sels minéraux et les vitamines hydrosolubles peuvent y émigrer. Il est donc indispensable, sur tous les plans, de réaliser correctement une cuisson quelle qu'elle soit.

Il existe de nombreux moyens de faire cuire un aliment. Certains, comme les fritures ou les ragoûts ne peuvent être utilisés par des « poids sensibles ». Tous les autres demandent seulement un peu de réflexion et de bon sens.

CUIRE A L'EAU

Elle n'a pas bonne réputation, la cuisson « bouillie »! Peut-être justement parce qu'on la pratique trop souvent en faisant bouillir à gros bouillons et longuement viandes, poissons ou légumes, ce qui est contraire à toutes les règles culinaires.

En pratique, il faut :

• *bien doser les quantités de liquide* nécessaires à cette cuisson.

Dans certains cas (blanchiment, en particulier, mais il n'est qu'un temps de la cuisson totale), ces quantités doivent être importantes. Mais, le plus souvent, elles ne doivent représenter que le strict minimum;

• *parfumer les eaux de cuisson :* la saveur se communiquera à l'aliment;

• *plonger l'aliment dans une eau très chaude*, puis régler la source de chaleur de manière que le liquide frémisse, sans plus;

• *surveiller la cuisson* qui ne doit durer que le temps strictement nécessaire.

S'il n'est pas difficile de régler la flamme du gaz — à condition d'y penser —, on ne sait pas toujours régler des plaques électriques. Elles chauffent aujourd'hui très rapidement, mais conservent toujours un certain temps d'inertie pendant lequel, courant coupé, elles continuent à chauffer de plus en plus doucement. Il est donc toujours nécessaire de faire chauffer la plaque un peu avant d'y déposer le récipient de cuisson, puis de stopper le chauffage un peu avant la fin de la cuisson qui se terminera pendant ce temps d'inertie. A bien connaître également la signification des graduations des boutons de commande des plaques électriques.

Plaques graduées de 1 à 6	**Plaques graduées de 1 à 12**	**Signification**
1	1 - 2	Très doux
2	3 - 4	Doux
3	5 - 6	Moyen
4 - 5	7 - 8 - 9	Chaud
6	10 - 11 - 12	Très chaud

Le vocabulaire de la cuisson à l'eau

Blanchir Plonger un aliment (généralement un légume) dans de l'eau bouillante pendant un temps très court pour l'attendrir ou le débarrasser d'un goût trop fort. Le blanchiment précède habituellement une autre préparation.

Court-bouillon Liquide aromatisé, maintenu juste frémissant et dans lequel on fait cuire des poissons ou des crustacés.

Fumet Préparation obtenue en faisant bouillir dans de l'eau ou du bouillon des os, des arêtes et parures de poisson, éventuellement des champignons. Le fumet, s'il utilise la cuisson à l'eau, n'est pas une fin en soi. Il sert habituellement de base ou d'arôme pour une sauce.

Pocher Plonger un aliment quelques minutes dans un liquide frémissant (eau, bouillon, sirop).

Rafraîchir Passer sous l'eau froide un aliment qui vient d'être cuit à l'eau, dans l'attente de la suite de la préparation.

Réduction Petite quantité de liquide très parfumé obtenue par évaporation d'un liquide additionné d'aromates ou d'herbes. Comme le fumet, la réduction sert surtout à parfumer une sauce.

CUIRE A LA VAPEUR

C'est une variante de la cuisson à l'eau. Mais il n'existe aucun contact avec le liquide. On plonge les aliments dans une atmosphère saturée de vapeur d'eau, le niveau du liquide produisant cette vapeur restant nettement plus bas que le fond du récipient sur lequel sont déposés les aliments à cuire.

Le liquide qui donne naissance à la vapeur peut être tout simplement de l'eau, salée ou non. Mais il peut aussi s'agir d'un liquide parfumé : bouillon, eau additionnée d'herbes et/ou d'aromates divers. L'aliment s'imprègne peu à peu de ces parfums.

On peut cuire à la vapeur non seulement des légumes ou des poissons, mais aussi des viandes blanches (veau) ou des volailles (poules, poulets, éventuellement lapins). Les temps de cuisson sont évidemment très différents. Si vous désirez faire cuire à la vapeur une viande, une volaille, un poisson avec leurs légumes d'accompagnement, déposez-les successivement au-dessus de la vapeur, en fonction de leurs temps de cuisson respectifs. Ce temps est, dans l'ensemble, relativement long. On a souvent intérêt, notamment pour les légumes à se servir d'un autocuiseur (voir p. 56).

Le vocabulaire de la cuisson à la vapeur

Couscoussier Nom donné, par analogie, à tous les récipients servant à faire cuire à la vapeur.

Grille Nom donné dans la pratique au récipient sur lequel on dépose les aliments que l'on fait cuire à la vapeur, ceci quelle qu'en soit la forme.

Tamis Nom donné dans la pratique aux grilles superposées utilisées, en cuisine chinoise, pour la cuisson à la vapeur. On pose sur chacun une série d'ingrédients bien déterminés, en superposant les tamis dans un ordre bien précis. Les parfums du tamis le plus bas placé imprègnent les ingrédients de celui qui lui est immédiatement supérieur; le mélange des vapeurs parfume le troisième, etc. La plupart des cuisiniers français pensent que le fait d'étager ne change pas grand-chose au résultat final.

CUISSON BRAISÉE

On dit aussi « à l'étouffée ».

C'est une cuisson lente, à feu doux.

Dans un premier temps, on fait revenir l'aliment dans un corps gras. Puis on l'additionne d'une petite quantité de liquide avant de le laisser cuire doucement, à couvert. Le liquide, auquel s'ajoute une partie de l'eau contenue dans l'aliment lui-même se vaporise sous l'action de la chaleur. La vapeur se condense sur le couvercle plus froid et retombe au fond du récipient en ruisselant le long des parois. Et le circuit recommence.

Pour obtenir un braisé très peu gras *, on éponge doucement sur un papier absorbant les morceaux de viande après les avoir fait revenir. Pour terminer la cuisson, on accompagne la viande de légumes très riches en eau dont on garnit le fond de la cocotte, en ajoutant un peu de bouillon ou de vin blanc. Il est souvent indiqué de tapisser le fond du récipient de couennes de lard qui empêchent la préparation d'attacher. Enfin, pour que la cuisson soit régulière, on peut, une fois les opérations préalables terminées, mettre la cocotte dans le four chaud.

* De toute façon, une cuisson braisée bien conduite n'est jamais très grasse.

Habituellement, les lipides (ceux que l'on a mis, ceux que les aliments ont laissé échapper en cours de cuisson) se rassemblent à la surface. Et il est facile d'en éliminer la plus grande partie, simplement en les prélevant à la cuiller.

Le vocabulaire du braisé

Dauber — Faire cuire à l'étouffée : braiser.

Étuver — Faire cuire en vase clos avec très peu de liquide et une petite quantité de corps gras. C'est aussi une opération très voisine du braisage.

Foncer — Garnir le fond d'un récipient (moule, plat à four, cocotte...). En ce qui concerne la cuisson braisée, on « fonce » la cocotte avec des couennes, des oignons, des tomates, des rondelles de carottes...

Julienne — Façon de tailler (des légumes, du jambon, des zestes...) en lanières minces.

Mirepoix — Façon de tailler (des légumes, du lard, du jambon...) en petits dés.

Mouiller — Ajouter un liquide (eau, lait, vin, bouillon) à une préparation en cours de cuisson.

Revenir (faire) — Passer des légumes, de la viande, une volaille dans un corps gras chaud, afin d'en raffermir et d'en colorer la surface.

Saisir — Cuire à feu vif la partie superficielle d'un aliment pour provoquer en surface une certaine coagulation.

Tourner — Arrondir un légume en l'épluchant. Éventuellement on le fractionne auparavant en morceaux.

CUIRE EN AUTOCUISEUR

La cuisson en autocuiseur, qui s'effectue sous pression, prend trois fois moins de temps que les méthodes classiques.

Pour obtenir de bons résultats, il faut :

— mesurer soigneusement les quantités de liquide utilisées. Il ne se produit pratiquement aucune évaporation et il suffit de la moitié, au maximum des deux tiers des quantités habituelles;

— rester très discret dans l'emploi des parfums et aromates : à peine la moitié des proportions courantes. L'autocuiseur, hermétiquement clos, concentre les saveurs;

— baisser le chauffage dès la montée en pression (lorsque la soupape commence à tourner). Il est inutile que la petite pièce métallique tourne à toute vapeur. Il suffit qu'elle chuinte doucement;

— observer strictement les temps de cuisson indiqués. Ils s'entendent à partir de la montée en pression.

CUIRE AU FOUR

Cette fois-ci la chaleur intervient directement, sans l'intermédiaire de liquide ou de vapeur. Il est indispensable, pour que cette chaleur saisisse correctement l'aliment, de chauffer le four cinq à dix minutes avant le début de la cuisson.

Quelques précautions permettent, par ailleurs, de n'utiliser que peu ou pas de corps gras. Elles ne sont pas tout à fait les mêmes selon que l'on fait cuire une viande, un poisson ou des légumes.

• *Viandes et volailles* sont, classiquement, recouvertes d'une barde de lard ou d'une quantité plus ou moins importante de corps gras destinés, d'une part, à protéger la surface à rôtir d'un possible coup de feu (un peu comme les produits à bronzer préviennent les coups de soleil), d'autre part, à fournir une partie du jus. Contentez-vous de badigeonner très légèrement d'huile la surface de la pièce à rôtir et utilisez, pour la protéger, l'aluminium ménager. N'en couvrez pas la pièce à rôtir (celle-ci cuirait alors plutôt à l'étouffée). Laissez le dessus libre, en posant le rôti sur le morceau d'aluminium plié en forme d'U.

Piquez de place en place, à la fourchette, la peau des volailles, surtout des volailles un peu grasses (la peau seulement, pas le muscle), avant de les mettre à cuire. La graisse sous-cutanée s'écoulera en partie dans le plat, au lieu d'imprégner les chairs.

Enfin, vous pouvez aussi protéger viandes et volailles en les recouvrant d'herbes, de poivre concassé, de moutarde, de rondelles de citron...

Deux pratiques classiques à ne pas oublier :

— Saler les viandes rouges à la sortie du four seulement, les viandes blanches et les volailles avant la cuisson;

— Pour retourner éventuellement rôti ou volaille, utiliser deux fourchettes ou deux palettes, mais ne jamais piquer en profondeur : cela ferait s'écouler les sucs et donnerait un résultat par trop sec.

• *Les poissons* cuisent volontiers au four dans un liquide parfumé qui s'évapore en partie durant la cuisson. La question du corps gras se pose donc beaucoup moins que pour les viandes ou les volailles, surtout en utilisant un plat à four à revêtement antiadhésif.

• Quant aux *légumes*, c'est surtout sous forme de gratins qu'on les met au four. Des gratins qui, classiquement, dorent sous le beurre, la chapelure et/ou le gruyère râpé. Pour éviter ceux-ci ou n'en utiliser que très peu, recouvrez complètement votre plat d'aluminium ménager pour l'essentiel de la cuisson, puis retirez-le quelques minutes avant que celle-ci ne se termine, en allumant, si nécessaire, la seule rampe supérieure (comme pour une grillade). Le dessus dorera très vite.

La température d'un four peut aller de 110-120° C (fours très doux) à 300-310° C (fours très chauds). Presque tous les fours actuellement dans le commerce sont munis de thermostats grâce auxquels on peut les maintenir à une température constante. La différence d'un chiffre à l'autre est d'environ 20° C. Voici les principales équivalences :

Température du four	**Thermostats gradués de 1 à 8**	**Thermostats gradués de 1 à 10**
Très doux	1 - 2	1 - 2
Doux	3	3 - 4
Moyen	4 - 5	5 - 6
Chaud	6 - 7	7 - 8
Très chaud	8	9 - 10

LA CUISSON EN PAPILLOTES est une mini-cuisson à l'étouffée qui se passe dans le four. Elle n'est possible que pour de petites pièces (de viande, de poisson, de légumes). On peut ne pas utiliser de corps gras du tout, l'essentiel étant de bien parfumer (fines herbes, citron, aromates...) ce que l'on enferme dans les morceaux d'aluminium ménager. Cependant, lorsqu'on peut se le permettre, un peu de beurre ou d'huile (très peu) sur la papillote améliore le résultat. Habituellement, un aliment cuit de cette façon se sert dans son armure juste ouverte.

Le vocabulaire de la cuisson au four

Arroser Mouiller la surface d'une préparation en train de cuire. On utilise habituellement pour cela le jus qui s'est déjà formé dans le fond du plat de cuisson ou dans la lèchefrite.

Bain-marie Récipient rempli d'eau dans lequel on plonge un second récipient contenant une préparation à faire cuire ou réchauffer. Le bain-marie adoucit et répartit mieux la chaleur. On l'utilise aussi sur une flamme.

Brider Passer une ficelle à l'aide d'une aiguille à brider pour attacher les membres d'une volaille ou refermer un morceau désossé avant de les faire cuire.

Déglacer Verser un liquide bouillant sur les sucs d'un aliment ayant caramélisé à la cuisson, de manière à les dissoudre. On déglace le plus souvent, une fois la cuisson terminée, pour former un jus.

Grille Pièce métallique sur laquelle on place viandes ou volailles à rôtir pour éviter qu'elles ne touchent le jus qui se forme au cours de la cuisson. La grille est soit placée dans le fond d'un plat à four, soit directement dans le four au-dessus d'une lèchefrite.

Lèchefrite Pièce creuse adaptée le plus souvent aux dimensions du four et dans laquelle on recueille le jus produit par le rôtissage d'un aliment (ou par la cuisson à la broche).

CUIRE AU GRIL

La grillade qui s'adresse à des aliments d'une épaisseur relativement faible utilise une source de chaleur très vive. Comme le four, le gril doit être chauffé, la flamme allumée (gaz) ou les braises préparées (barbecues) suffisamment à l'avance.

En dehors même de tout régime, il suffit de très peu de corps gras pour badigeonner un aliment à griller. On peut aussi lui faire subir une marinade qui, habituellement, non seulement le parfume, mais laisse une pellicule suffisante pour protéger de la chaleur.

Deux grandes règles à respecter :

— une pièce mince doit griller vite et près du feu (ou à chaleur vive pour les grils de contact);

— une pièce plus épaisse et plus longue à cuire doit être plus éloignée de la source de chaleur ou cuire sur un gril un tout petit peu moins brûlant (grils de contact).

LA CUISSON A LA BROCHE tient à la fois du rôtissage (elle utilise une chaleur rayonnante) et de la grillade (puisque cette chaleur très vive est relativement proche de l'aliment). Presque tous les fours actuellement sur le marché comportent cet accessoire, sans parler des rôtissoires qui sont conçues uniquement dans ce but.

La cuisson à la broche qui permet de cuire sans grand risque de brûler puisque l'aliment tourne, présentant successivement à la source de chaleur toutes les faces à rôtir, et qui permet d'éliminer une grande partie des graisses, celles-ci s'écoulant dans la lèchefrite, est un atout intéressant dans la cuisine allégée.

*LES CONSEILS ET LES RECETTES DE JACQUES MANIÈRE **

Il faut apprendre à maîtriser le feu.

Puissant, carré (le poids à maintenir, il connaît), Jacques Manière a fait du Pactole, puis du Dodin-Bouffant, de hauts lieux de la gastronomie. L'un des premiers, il a proposé des plats légers pour gourmands au régime et réhabilité la cuisson à la vapeur. Il termine d'ailleurs actuellement un livre sur ce sujet.

La vapeur, souple et insidieuse, est, pour lui, le meilleur moyen de conserver et même d'exalter le goût naturel d'un aliment. Mais elle exige des denrées d'une qualité irréprochable; car, si elle sublime les qualités, elle fait aussi ressortir les défauts.

Des idées-vapeur retenues de notre conversation : la coquille Saint-Jacques cuite à la vapeur sur un lit d'algues; la truite nature cuite à la vapeur posée sur de la menthe fraîche, de la sauge ou du thym.

Une préparation mijotée n'est d'ailleurs pas forcément grasse. A condition de savoir se servir du feu. Une flamme lente fait remonter doucement la graisse à la surface de la préparation où l'on peut la recueillir et l'éliminer au fur et à mesure. Au contraire, une cuisson à gros bouillons mélange intimement la graisse à la préparation. Jacques Manière, lui, mijote — c'est son expression — « en musique douce ».

Les filets de sole farcis

Pour 4 personnes : 2 belles soles, 2 merlans, 2 cuillerées à soupe de crème fraîche, 2 œufs, ciboulette, estragon, mousserons séchés, sel et poivre.

— Faire lever par le poissonnier les filets des soles et des merlans.

* Dodin-Bouffant.

— Passer au mixer la chair des filets de merlans. Ajouter la crème, les œufs, les fines herbes hachées, les mousserons séchés. Saler, poivrer.

— Farcir les filets de sole avec ce mélange.

— Faire cuire à la vapeur pendant 6 à 7 minutes.

— Servir avec un légume vert au choix et un beurre blanc (dont chacun se servira suivant ses possibilités).

*LES CONSEILS ET LES RECETTES DE GUY GIRARD **

L'invention au service de la forme.

Dans son « Petit Coin », Guy Girard accueille « ces messieurs de la Bourse », des hommes d'affaires pour lesquels il prépare « de la cuisine comme chez soi, avec la pointe de métier en plus ». La pointe de métier, c'est l'invention quasi perpétuelle et l'invention dans la légèreté. D'abord parce qu'il en est partisan. Et puis, il y a ses habitués : « Ils travaillent, ces gens-là, quand ils quittent le restaurant! » Ils ont besoin de toute leur forme (Effectivement quand on est soumis aux caprices du dollar ou du yen...).

L'un des trucs de Guy Girard : la saumure qui lui permet de préparer des petits salés d'agneau ou de volaille bien moins gras que leurs homologues porcins. C'est difficile à réaliser en pratique ménagère. Par contre rien d'impossible dans le second truc : les marinades qui aident à la saveur et permettent de n'utiliser qu'un minimum de corps gras.

Deux exemples et deux recettes :

L'escalopine de thon

Par personne : 1 tranche pas trop épaisse de thon rouge, 1 ou 2 citrons, 1/2 œuf dur, 1/2 échalote, 1 cuillerée à café d'huile d'olive

* Le Petit Coin de la Bourse.

(ou d'huile de paraffine), câpres, ciboulette, persil, sel et poivre. Et, pour accompagner, 200 g de carottes.

— Saler et poivrer le thon. Le faire mariner pendant 1 heure dans du jus de citron. Faire mariner en même temps les carottes émincées.

— Égoutter le thon. Le disposer sur une assiette entouré des carottes, de câpres, d'œuf dur, échalote, ciboulette et persil haché. Arroser avec l'huile d'olive. (Aucune cuisson n'est nécessaire.)

L'escalope Saint-Jacques

Par personne : 1 belle coquille Saint-Jacques, 1 citron, 1 cuillerée à soupe d'huile d'arachide (ou d'huile de paraffine), 1 cuillerée à café de très bon vinaigre de vin, curry, coriandre en poudre, sel et poivre.

— Saler et poivrer la coquille Saint-Jacques (nettoyée et décoquillée). La frotter et l'arroser avec le jus d'un demi-citron. Laisser reposer une demi-heure.

— Faire cuire à la vapeur pendant 3 ou 4 minutes.

— Laisser le corail entier. Faire deux ou trois tranches de la chair blanche.

— Mélanger le jus d'un demi-citron, le vinaigre, l'huile. Ajouter un peu de curry et de coriandre en poudre. Arroser la coquille Saint-Jacques avec cette sauce.

— Entourer de petits légumes cuits à la vapeur et de tomates fraîches.

LES CONSEILS ET LES RECETTES DE M. MOROT-GAUDRY *

Ne pas oublier la convivialité.

Pour ce jeune chef qui a connu personnellement — et résolu —

* Restaurant Morot-Gaudry.

le problème des kilos de trop, on oublie trop souvent que manger, c'est plus que la cuisine. C'est le couvert, la table bien mise, l'ambiance, les amis que l'on retrouve, la présentation du plat... Tout un ensemble qu'il a implanté dans son 8e étage avec vue sur la tour Eiffel. Où il prépare une cuisine bien à lui et qui évolue sans cesse, car elle est aussi faite d'échanges d'idées avec ses confrères et ses clients.

Ses trucs : l'escalopage (couper en tranches minces), qui lui permet de cuire à point et avec peu de corps gras rognons, ris de veau, poissons épais... Et une grande variété de légumes verts. Des légumes juste blanchis à l'eau bouillante, donc encore un peu croquants et pleins de saveur, rafraîchis à l'eau froide et réchauffés avec très peu de beurre ou un fumet.

La dorade papillote

Pour 4 personnes : 1 belle dorade, 1 kilo de tomates, 4 ou 5 échalotes, vin blanc, fines herbes variées, sel et poivre.

— Tapisser le fond d'un plat à four de fines herbes et d'échalotes hachées.

— Poser par-dessus la dorade vidée et écaillée. Saler, poivrer. Mouiller de vin blanc juste à hauteur du poisson. Entourer de tomates fraîches lavées et coupées en quartiers.

— Recouvrir d'une feuille d'aluminium ménager.

— Faire cuire à four moyen.

Salade tiède de faisan aux choux

Pour 4 à 6 personnes : 1 poule faisane, 1 beau chou blanc bien serré, 2 cuillerées à soupe de vinaigre de xérès, 1 cuillerée à soupe d'huile d'olive (ou d'huile de paraffine), sel et poivre.

— Émincer le chou. Le faire blanchir 5 minutes dans beaucoup d'eau bouillante salée. Rafraîchir. Bien égoutter.

— Désosser la poule par le dos, en essayant de préserver la forme (éventuellement demander ce service au volailler).

— Faire cuire les os et les ailerons de la poule faisane pour obtenir un fumet. Le faire réduire.

— Faire une sauce avec le vinaigre, l'huile, quelques cuillerées de fumet de faisan, du sel et du poivre.

— Réchauffer le chou au four jusqu'à ce qu'il ne contienne plus du tout d'eau.

— A plat, poêler la poule faisane à sec pendant 7 à 8 minutes.

— Arroser le chou de sauce. Escaloper le faisan par-dessus. Poivrer légèrement.

LES CONSEILS ET LES RECETTES D'EMMANUEL MOULIER *

A la recherche des saveurs perdues.

Dans ce temple de l'aligot et du boudin aux châtaignes, Emmanuel Moulier, grand, mince, sportif, met à la carte une série de plats différents, plus légers, à base des produits de saison. Des plats qu'il redécouvre souvent dans de très vieux livres de cuisine (et oui, on ne mangeait pas si gras qu'on le pense chez les gourmets des XVIIe et XVIIIe siècles : le beurre restait régional, l'huile d'arachide n'avait pas encore été inventée, le saindoux était précieux) ou qu'il met au point car il adore découvrir et faire découvrir des saveurs inhabituelles. Il n'a pas de mode de cuisson favori, mais une ennemie : la fadeur.

Des idées retenues au passage : faire cuire un légume à la vapeur au-dessus d'un fumet fait avec des os de veau ou de poulet; lier une sauce avec des légumes écrasés; ajouter des zestes d'orange ou de citron finement taillés au milieu de cuisson d'un légume à

* Ambassade d'Auvergne et du Rouergue.

l'étouffée; utiliser des fruits imprévus dans des marinades ou des accompagnements.

La soupe de haddock aux petits légumes

Pour 4 personnes : 1/2 l de lait, 1/2 l de fond maigre de volaille*, 500 g de haddock, 1 petite carotte, 1 petit navet, 50 g de champignons, 50 g de pois frais, 0,200 l de vin blanc moelleux, 1 petit verre de Glenlivet (ou de tout autre bon whisky pur malt), 3 cuillerées à soupe d'huile d'olive, cerfeuil, sel et poivre.

— Faire revenir dans l'huile tous les légumes taillés en tout petits dés.

— Mouiller avec le vin blanc, le Glenlivet, le fond.

— Laisser cuire à couvert jusqu'à ce que les légumes soient cuits « al dente », c'est-à-dire encore croquants. Les retirer.

— Ajouter le lait. Faire pocher le haddock dans le liquide juste frémissant (il ne doit y avoir aucune ébullition).

— Égoutter le poisson. Le passer au tamis ou l'écraser finement.

— Faire réduire la cuisson. Y réchauffer le poisson et les légumes. Rectifier l'assaisonnement. Saupoudrer de cerfeuil haché.

La blanquette de veau aux choux-fleurs

Pour 4 ou 5 personnes : 300 g de gros cubes d'épaule, 300 g de gros cubes de tendron, 300 g de gros cubes de haut de côtes, 2 choux-fleurs moyens bien blancs et bien serrés, 400 g de champignons (champignons de Paris ou trompettes-des-morts), 200 g d'oignons rouges, 1/2 l de bouillon de volaille, 2 cuillerées à café de crème fraîche, 10 à 20 g de beurre, 1 carotte, 1 gousse d'ail, persil, thym, laurier, sel, poivre, estragon, jus de citron.

— Faire cuire les cubes de veau à l'étouffée avec la carotte

* Remplacer éventuellement par une tablette de bouillon.

émincée, les oignons rouges, les queues des champignons, le bouquet garni, les tiges des choux-fleurs, le jus d'un citron et le bouillon de volaille.

— Retirer la viande. Faire cuire les choux-fleurs à la vapeur de ce milieu de cuisson. Passer la moitié au tamis, garder l'autre croquante.

— Faire blanchir les feuilles des choux-fleurs et les couper en julienne.

— Faire réduire le jus de cuisson. Lier avec la purée de choux-fleurs, 2 cuillerées à café de crème fraîche, 1 filet de citron. Faire cuire les champignons de Paris dans cette sauce après les avoir émincés. S'il s'agit de trompettes-des-morts, les ébouillanter 3 minutes et ensuite les faire infuser dans la sauce.

— Au dernier moment, dresser la viande sur un plat avec les bouquets croquants de choux-fleurs. Napper de sauce dans laquelle on a ajouté la julienne de feuilles de choux, quelques feuilles d'estragon frais et 10 à 20 g de beurre. Donner un tour de moulin à poivre.

LES CONSEILS ET LES RECETTES DE DANIEL RAYMOND *

La magie des arômes.

Ce jeune et déjà ancien chef (il a débuté en cuisine il y a vingt ans) a réussi un miracle. Ses clients, qui, dans les débuts, commandaient neuf fois sur dix rôtis ou grillades, ont fait marche arrière. Aujourd'hui, ils votent neuf fois sur dix pour un plat en sauce. Mais une sauce à la façon de Daniel Raymond.

Il s'est, dès ses débuts, posé tant de questions sur les sauces grasses, cuites et recuites, les fonds d'une qualité bactériologique

* Le Borvo.

au demeurant souvent douteuse sans lesquels, alors, on ne concevait pas la Cuisine (avec un grand C). Des lectures, des conversations, des essais au sein des brigades (une « brigade », c'est l'ensemble de ceux qui travaillent en même temps en cuisine) auxquelles il a appartenu, l'ont confirmé dans son idée. Et il a appris à travailler avec des aromates, des condiments. Il les a classés, répertoriés. Tout ce qui lui semble nouveau, il l'essaie : les feuilles et les pieds de brocolis, il s'en sert; les feuilles de salsifis, il est en train de faire des essais pour les utiliser.

Sa cuisine est à l'image de son restaurant, où l'on refuse du monde plutôt que de « renouveler une table », parce que « ce n'est pas agréable de s'asseoir sur une chaise chaude ». C'est une cuisine sur mesure.

Quelques idées en vrac : l'ail ou l'échalote ont un parfum différent lorsque, à l'épluchage, on leur laisse leur dernière pellicule.

Les carottes glacées : râpées en julienne, elles cuisent quelques minutes à peine, à feu vif et à couvert, avec une cuillerée à soupe d'eau, une cuillerée à soupe de margarine, du sel, éventuellement un peu de sucre. On les retourne dès que l'eau s'est évaporée.

Les petites poires vertes au vinaigre : pelées, vidées par en dessous, légèrement saupoudrées de sucre, elles cuisent très doucement (3 à 4 heures), dans un bon vinaigre.

La sole au vert est pochée, entière, dans très peu d'eau et de bouillon. Les filets, levés après cuisson, sont nappés d'un mélange fait avec le milieu de cuisson, très peu de crème et une cuillerée de fines herbes hachées.

Le sauté d'agneau au cidre

Pour 4 personnes : 900 g d'épaule d'agneau, 2 cuillerées à soupe d'huile, 1 l de cidre, 2 échalotes, 2 gousses d'ail, 1 cuillerée à soupe d'arrow-root, 2 carottes, sel et poivre.

— Faire sauter les morceaux d'épaule jusqu'à ce qu'ils soient bien colorés et qu'ils aient rendu un maximum de gras. Égoutter.

— Mettre dans une sauteuse avec 1 l de cidre, 2 échalotes,

2 gousses d'ail et 2 carottes. Assaisonner légèrement. Faire cuire 20 à 25 minutes.

— Retirer les morceaux de viande. Ajouter au jus un peu d'arrow-root. Réchauffer les morceaux d'agneau dans la sauce.

— Servir accompagné de petits navets coupés en gros bâtonnets et pochés 2 minutes.

LES CONSEILS ET LES RECETTES D'ALAIN DUTOURNIER *

Manger avec son temps.

D'un côté de la carte, c'est la Gascogne traditionnelle avec ses confits, ses foies gras et un laruns de derrière les fagots. De l'autre, ce sont les " idées du moment ", les trouvailles d'Alain Dutournier.

Ce pur Gascon qui a pris du poids en montant à Paris — et l'a perdu — a vite compris que notre époque, ayant abandonné l'activité physique, ne pouvait plus se nourrir comme « lorsqu'on n'avait pas le temps de grossir ». Alors, il « fait manger les autres comme il aime vivre ». Et quand vous saurez qu'Alain Dutournier est un fan des Beatles, vous comprendrez que, chez lui, l'imagination est à la cuisine.

Ce qui ne l'empêche nullement de se pencher sur la cuisine classique. Car il reste persuadé que l'on peut reprendre beaucoup de ses recettes en réduisant largement les proportions de corps gras que l'on a pris l'habitude d'y incorporer. Il faut revenir au dépouillement qui laisse aux aliments leur véritable goût. Pourquoi arroser de crème des fraises ou des framboises si parfumées? Un salmis de palombes n'a pas lieu d'être gras, puisqu'on peut retirer la graisse à froid. De même un bon consommé se dégraisse au maximum. On peut oublier la sacro-sainte pomme de terre au profit des légumes verts et préparer ceux-ci un peu croquants,

* Le Trou gascon.

dans la plénitude de leur goût, de leur couleur. Et sans les noyer sous une masse de beurre.

Des idées d'assaisonnement : servir un peu de moelle * avec des légumes blanchis ou cuits à la vapeur. Leur ajouter une vinaigrette alors qu'ils sont encore tièdes avec des fines herbes ciselées au dernier moment. Pour disposer de fines herbes toute l'année, profiter de la pleine saison pour les laver, les essuyer et les répartir en petits bouquets que l'on mettra en sachets pour les congeler. Certes c'est un peu moins joli que des fines herbes fraîches (de toute façon, on les hache), mais le goût est tellement supérieur.

Pour les vinaigrettes, choisir très soigneusement des vinaigres d'excellente qualité.

La fricassée de lièvre

Pour 6 personnes : 1 lièvre non faisandé, 100 g de jambon séché, 100 g d'échalote, 1 tête d'ail, 300 g de champignons de Paris, 500 g de carottes, 1 l à 1,5 l de vin blanc, 1 oignon, 1 bouquet garni, le jus d'un citron, persil, basilic ou estragon frais, 2 ou 3 carrés de chocolat amer, sel, poivre noir, noix de muscade, 1/2 boule de céleri.

— Débiter le lièvre. Couper le jambon en dés. Ciseler échalotes, oignons, ail, persil et 150 g de carottes.

— Faire chauffer le vin blanc jusqu'à ébullition.

— Faire « suer » le jambon à sec. Y faire dorer le lièvre. Ajouter tout ce que l'on a ciselé. Faire revenir. Égoutter. Mouiller avec le vin blanc bouilli.

— Ajouter le bouquet garni et 100 g de champignons.

— Faire cuire doucement à couvert pendant 2 heures.

— Retirer et égoutter la viande. Retirer le bouquet garni. Passer le jus au mixer. On obtient une sauce onctueuse et mousseuse liée par les légumes.

* On peut désormais trouver de la moelle surgelée avec date limite de vente.

— Remettre la viande dans la cocotte. Ajouter le restant des carottes coupées en fines rondelles et le céleri préalablement blanchi et coupé en gros dés. Ajouter les champignons émincés en fin de cuisson. Rectifier l'assaisonnement. Lier avec deux ou trois carrés de chocolat amer.

— Ajouter au dernier moment les fines herbes ciselées et de la noix de muscade râpée.

— Au moment de servir, ajouter un jus de citron pour raviver les goûts.

LE BON ÉQUILIBRE

A vous de jouer.

LE SCRABBLE ET LE **421**

Ce sont des jeux. Mais aussi une façon de combiner ses menus de façon judicieuse sans se lancer dans des calculs compliqués de calories, de vitamines ou de sels minéraux.

POIDS NORMAL ? — ON JOUE AU **421**

Chaque chiffre correspond au nombre de portions d'un type d'aliment que doit comporter chaque repas.

4G : Quatre portions d'aliments glucidiques :

- **1** — une crudité (légumes verts ou fruits);
- **2** — une « cuidité » (légumes verts ou fruits cuits);
- **3** — un féculent ou un farineux (pommes de terre, pâtes, riz, pain, pâtisserie, biscuits...);
- **4** — un aliment sucré (confiture, miel, sucre...).

2P : Deux portions d'aliments protidiques :

- **1** — avec calcium : fromage, yaourt, plat au lait...;
- **2** — sans calcium : viande, poisson, œuf, volaille, crustacés...

1L : Une portion de corps gras d'assaisonnement ou d'accompagnement divisée en deux demi-portions :

— 1/2 portion de corps gras animal (beurre sur le pain, la viande ou les légumes);

— 1/2 portion de corps gras végétal (huile pour la salade ou les crudités).

Et quel poids donner à chacune de ces portions?

A part le **4**, le **2**, le **1**, pas de chiffres, pas de calculs. Cela fait à chaque menu, beaucoup d'éléments différents parce que la variété est indispensable à l'équilibre alimentaire. Mais cela ne fait pas obligatoirement de grosses portions. Lesquelles, au demeurant, empêchent souvent d'aller jusqu'au bout de la variété qui découle du **421**.

Manger de tout, sans se forcer, garder un poids normal et stable c'est gagné.

EXEMPLE DE REPAS			
G	**P**	**L**	ALIMENTS
1		1/2	Salade de tomates à l'huile ↙ ↘ (crudité) (corps gras végétal)
	1		Foie d'agneau au bacon (protéine sans calcium)
1		1/2	Jardinière de légumes + beurre ↙ ↘ (« cuidité ») (corps gras animal)
1			Pain (féculent farineux)
	1		Crème au caramel ↓ (lait) ↙
1			Sucre de la crème au caramel
4	**2**	**1**	REPAS ÉQUILIBRÉ

N.B. — la crudité assure surtout l'apport en vitamine C;
— la « cuidité » en substance ballast pour le transit intestinal;
— le lait, l'apport en calcium;
— l'huile, en acides gras indispensables;
— le beurre, en vitamine A (qui se trouve aussi dans le foie).

Les portions se trouvent souvent mélangées (huile avec les tomates, sucre dans le lait de la crème au caramel). Penser **421** permet justement de ne pas les oublier.

Par ailleurs, on ne mange pas que des légumes verts comme dans l'exemple précédent. Penser **421** permet d'aménager sa consommation de pain aux repas en fonction de la consommation de pommes de terre, pâtes ou riz.

Le **421**, vous y penserez dans quelque temps. Lorsque vous aurez atteint le poids souhaité et que la période de stabilisation aura montré pour quel niveau alimentaire ce poids reste stable. En attendant, pensez à vos menus à la façon d'un jeu de scrabble.

AU SCRABBLE, MANGEZ **FORT peu**

Pour vous qui avez des problèmes de poids, l'équilibre n'est plus le même, puisque parmi toutes ces portions certaines sont nettement réduites (et même supprimées si votre régime est très strict).

Pour vérifier que vous n'avez rien oublié et rien exagéré dans votre menu, jouez au scrabble avec deux mots **FORT** et **peu**.

FORT pour les aliments que vous pouvez manger en quantité quasi illimitée :

F — Viandes, produits de la mer, volailles et dans une certaine mesure œufs (voir p. 22).

O — Lait écrémé ou demi-écrémé, fromages à 0 %, yaourts.

R — Légumes verts cuits (« cuidités »).

T — Légumes verts crus (crudités).

Les fruits que vous comptiez dans la même catégorie au 421, sont, pour cause de sucre, des aliments à mesurer qui font partie de la seconde catégorie. De même les fromages autres que ceux ci-dessus.

p — Fruits.

e — Corps gras (beurre, huile autorisés) et aussi fromages non écrémés.

u — Farineux autorisés que vous pouvez d'ailleurs remplacer les uns par les autres pour des raisons de commodité (en cas de repas au restaurant par exemple). Vous trouverez à cet effet des équivalences en annexe.
Sucres autorisés (sucre, cassonade, miel ou confiture).

Le principe est un peu différent. S'il est indispensable que le menu de tous vos repas vous permette de former le mot **FORT**, les lettres du mot **peu** peuvent se trouver réparties sur toute une journée (si un seul fruit vous est autorisé, par exemple, ou si vous ne devez pas dépasser une quantité vraiment minime de corps gras).

L'intérêt du jeu est :

— de consommer suffisamment d'aliments protéiques pour ne pas maigrir « sur vos muscles »;

— de manger un volume suffisant (cellulose) pour ne pas avoir faim et assurer un bon transit intestinal;

— de dépister les pièges des aliments inclus dans le mot **peu**.

EXEMPLE DE MENU **FORT peu**

Préparation	**F**	**O**	**R**	**T**	**p**	**e**	**u**
Mesclade				•			
Entrecôte à la moelle	•					1/2	
Navets glacés			•			1/2	
Fromage blanc en faisselle (sans sucre)		•					
Pommes en chemise					•		1/2
Pain autorisé (pris sur la quantité quotidienne)							1/2
	F	**O**	**R**	**T**	**p**	**e**	**u**

Toutes nos recettes sont marquées d'une ou plusieurs petites plaques de scrabble. Vous pouvez donc les assembler sans difficulté. Et avec un peu d'entraînement vous pourrez essayer d'en faire autant au restaurant, chez des amis, à la cantine. Vous trouverez des exemples en annexe.

N.B. — Il arrivera, au fil des recettes, que vous ne trouviez pas de plaque mentionnant des corps gras (e), du sucre (u) ou de la farine (u) qui, pourtant, figurent dans la préparation. Il en sera ainsi uniquement lorsque la quantité qui revient à chaque portion est vraiment minime (moins de 5 g). Ceci pour que le détail ne cache pas l'essentiel.

N'en prenez cependant pas prétexte pour accumuler les petits suppléments.

DEUXIÈME PARTIE

DE L'ENTRÉE AU DESSERT

des recettes et des idées

Pour la signification des lettres figurant en tête de chaque recette, se reporter au chapitre 6, « Le bon équilibre ».

---

des soupes et des potages

« Je vis de bonne soupe et non de beau langage », fait dire Molière au Chrysale des *Femmes savantes*.

« Mange ta soupe si tu veux grandir », ont répété nos parents, nos grands-parents et avant eux leurs parents et les parents de leurs parents à de jeunes appétits peu enthousiastes.

« De la soupe? Ah! non, je n'en mange jamais : ça fait grossir », explique la dame qui grossit quand même.

« Moi, je veux bien suivre votre régime. Mais ma soupe tous les soirs j'aurai du mal à m'en passer », s'inquiète le malade d'un certain âge.

Tous ont à la fois tort et raison. Car tout dépend du type de soupes auquel ils pensent. Une soupe au lard, un potage de pois cassés, une julienne de légumes, une panade, une gratinée, un bouillon clair n'ont en commun que l'appellation « soupe » (inexacte d'ailleurs pour beaucoup de ces préparations, tous les puristes du vocabulaire — et de la cuisine — vous le diront). Par ailleurs, une même recette de base, parfaitement innocente sur le plan d'une éventuelle prise de poids, peut être « interprétée » de façon différente suivant les habitudes familiales ou les goûts personnels. Les variations qui incluent vermicelle ou tapioca, beurre ou crème fraîche, petits croûtons ou fromage râpé (quand ce n'est pas le vin rouge!) n'ont plus du tout les mêmes caractères qu'une recette simplement à base de légumes verts.

Pourquoi se passer de soupe lorsqu'on l'aime? Une seule condition : veiller à ce que l'on met dedans. Les corps gras (huile, beurre, crème), les farineux (vermicelle, pâtes, pommes de terre, riz, tapioca, légumes secs, pain) doivent être strictement surveillés. C'est logique.

Par contre, tous les légumes verts, les poissons, les œufs, le lait écrémé ou demi-écrémé restent, comme pour tous les plats, des aliments *forts* qui permettent de se servir une seconde assiette si on le désire; qui permettent également de préparer quantité de recettes différentes.

Crème de champignons

Pour 4 personnes

500 g de champignons de couche
1 petite boîte de champignons « garniture » en conserve
250 g de tomates
2 petits oignons
1 œuf
20 g de beurre
1 tablette de bouillon de volaille
persil, cerfeuil, sel, poivre

Préparation : 15 minutes
Cuisson : 35 minutes

- Éplucher, laver, émincer les oignons et les tomates. Oter le pied terreux des champignons. Les couper en lamelles.
- Faire fondre doucement oignons et tomates dans le beurre. Ajouter les champignons. Remuer. Couvrir. Laisser étuver pendant 5 à 10 minutes.
- Mouiller avec un litre de bouillon de volaille reconstitué. Laisser cuire 30 minutes. Passer au mixer. Remettre à chauffer.
- Égoutter les petits champignons. Garder le jus.
- Mettre les petits champignons dans la soupière. Battre l'œuf avec leur jus. Ajouter au potage chaud tout en remuant. Verser sur les petits champignons. Saupoudrer de persil et de cerfeuil hachés.

Si vous avez déjà épuisé vos possibilités quotidiennes en beurre (il y a 5 g par portion dans cette recette), ajoutez dès le départ un peu de bouillon aux tomates et aux oignons émincés. Laissez cuire quelques minutes avant d'ajouter les champignons.

Potage aux légumes

Pour 4 personnes

500 g de carottes
300 g de navets
300 g de poireaux
2 ou 3 feuilles de chou
1 branche de céleri
3 ou 4 feuilles de laitue
quelques branches de persil
1 cuillerée à soupe rase de riz à grains ronds
sel, poivre

Préparation : 20 minutes
Cuisson : 45 minutes

- Éplucher et laver les légumes. Couper les carottes et les navets en petits cubes, les poireaux en rondelles. Laisser telles quelles les feuilles de chou et de laitue, les branches de céleri et de persil. Mettre au fond d'un fait-tout.
- Verser par-dessus 1,5 l d'eau bouillante. Porter à ébullition. Ajouter le riz lavé. Laisser cuire à petits bouillons pendant 45 minutes.
- Passer au mixer. Saler. Poivrer.

Un bon truc : la cuillerée de riz. Cela ne fait que très peu d'amidon et donne du moelleux au potage. Mais :
— utilisez toujours du riz à grains ronds : il se « défait » mieux;
— et *une seule* cuillerée à soupe pour 4 personnes.

Consommé à l'œuf

Pour 4 personnes

1,250 l de bouillon de pot-au-feu
ou 1 l de bouillon en tablette
250 g de viande hachée *
4 œufs + 1 blanc
1 branche de céleri
ciboulette, sel, poivre

Préparation : 25 minutes
Cuisson : 50 minutes

- Dans un fait-tout, mettre le bouillon, la viande hachée, le céleri lavé et haché et le blanc d'œuf. Fouetter pour bien mélanger. Laisser cuire 50 minutes environ.
- Préparer les œufs pochés. En déposer un dans chaque bol ou assiette à potage.
- Passer le bouillon à travers une passoire fine. Rectifier l'assaisonnement si nécessaire. Verser une louche dans chaque bol ou assiette. Saupoudrer de ciboulette hachée.
- Servir aussitôt.

* *Hachée juste avant l'emploi.*

Plus qu'une soupe, c'est une façon originale de faire cuire un œuf. Il y en a beaucoup d'autres p. 128 à p. 147.

Soupe indienne

Pour 4 personnes

4 beaux poireaux	2 branches de céleri
2 oignons moyens	2 beaux blancs de poulet
4 carottes moyennes	1 cuillerée à soupe de curry
4 ou 5 bouquets de chou-fleur	sel, poivre

Préparation : 15 minutes
Cuisson : 1 heure

- Éplucher et laver les légumes. Émincer oignons et poireaux. Couper menu la branche de céleri. Couper les carottes en bâtonnets et le chou-fleur en mini-bouquets.
- Mettre à cuire oignons, poireaux, carottes et céleri dans 1,5 l d'eau bouillante salée pendant 40 minutes environ. Ajouter les bouquets de chou-fleur. Laisser cuire encore 10 minutes.
- Émincer les blancs de poulet. Les disposer au fond de la soupière.
- Délayer le curry dans un peu de bouillon. Ajouter au restant de la soupe. Verser dans la soupière sur les blancs de poulet.

Pour ceux qui ne peuvent se passer d'une « bonne » soupe; ou pour remplacer un petit plat de légumes.

Consommé au cresson

Pour 4 personnes

1,25 l de bouillon de pot-au-feu ou 1 l de bouillon en tablette
1/2 botte de cresson
1 branche de céleri
sel, poivre

Préparation : 15 minutes
Cuisson : 10 minutes

- Mettre le bouillon à chauffer.
- Laver le cresson et le céleri. Réserver quelques feuilles de cresson. Hacher très finement le restant. Ajouter au bouillon. Remuer.
- Laisser bouillir 5 minutes.
- Disposer les feuilles de cresson dans le fond de la soupière ou des bols à potage.
- Passer le consommé.
- Rectifier l'assaisonnement si nécessaire.
- Verser sur le cresson.

L'un de ces plats jockers qui permettent d'allonger un menu sans épaissir la ligne.

Consommé à la tomate

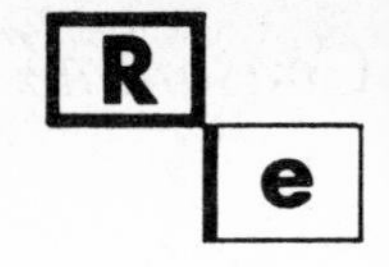

Pour 4 personnes

1 l de bouillon de pot-au-feu
ou 1 l de bouillon en tablette
1 kg de tomates mûres
3 oignons moyens
2 gousses d'ail
1 cuillerée d'huile d'olive
sel, poivre, thym, romarin, persil

Préparation : 15 minutes
Cuisson : 40 minutes

- Laver, peler, épépiner les tomates, les couper en quatre. Éplucher, laver, émincer les oignons. Éplucher et écraser l'ail.
- Faire fondre les oignons et les tomates dans l'huile d'olive. Ajouter l'ail écrasé, le thym et le romarin émiettés. Laisser cuire une vingtaine de minutes à feu doux. L'ensemble doit avoir la consistance d'un coulis.
- Verser le bouillon par-dessus. Laisser reprendre l'ébullition. Laisser cuire encore 15 minutes environ.
- Passer. Saler. Poivrer. Laisser refroidir.
- Servir très froid, saupoudré de persil haché.

1/4 de cuillerée à soupe d'huile par personne : ce n'est pas beaucoup. Mais cela compte. Surtout quand on ne doit pas dépasser 1 cuillerée au total dans la journée.

Aïgo-Sau

F

Pour 4 personnes

1,5 kg au total de merlans, petites daurades, girelles, rougets *
2 tomates
1 bel oignon
2 gousses d'ail
2 branches de céleri
1 petit bouquet de persil
1 branche de fenouil
écorce d'orange, sel, poivre

Préparation : 20 minutes
Cuisson : 15 minutes

- Vider et laver les poissons. Oter les têtes. Couper en morceaux si nécessaire.
- Éplucher et laver tous les légumes. Émincer oignon et tomates. Écraser l'ail. Hacher grossièrement céleri et persil.
- Mettre toutes ces denrées dans une cocotte. Ajouter l'écorce d'orange. Saler. Poivrer. Recouvrir d'eau bouillante.
- Ramener à ébullition. Laisser cuire 10 à 15 minutes juste à frémissement.
- Retirer les poissons et les disposer sur un plat. Servir en même temps la soupe en soupière — sur des tranches de pain grillé pour ceux qui n'ont pas de problème de ligne, et avec rouille pour tout le monde *(voir recette p. 259)*.

* *Ou le même poids de poissons blancs divers.*

Pourquoi vous laisser tenter par le pain grillé de votre voisin? Prenez plutôt un morceau de poisson supplémentaire. D'ailleurs, l'Aigo-Sau (Eau-Sel) est un plat de poissons bien plus qu'une soupe.

Potage Julienne

Pour 4 personnes

4 belles carottes 4 poireaux moyens
2 navets moyens 3 feuilles de laitue
3 ou 4 petits bouquets de chou-fleur
bouquet garni, sel, poivre

Préparation : 20 minutes
Cuisson : 1 h 15

- Éplucher et laver les légumes. Couper carottes et navets en bâtonnets; séparer le chou-fleur en mini-bouquets; tailler les poireaux et les feuilles de laitue en lanières.
- Faire bouillir 1,25 l d'eau avec le bouquet garni.
- Retirer le bouquet garni. Verser l'eau bouillante sur les légumes coupés. Saler. Poivrer. Couvrir. Laisser cuire pendant 1 heure environ.
- Servir tel quel.

Deux assiettées? Pourquoi pas. Regardez bien la composition : rien que des légumes frais.

Soupe à la citrouille

Pour 4 personnes

1,5 kg de potiron
0,75 l de lait demi-écrémé
2 pommes de terre moyennes
persil, noix muscade, sel, poivre

Préparation : 10 minutes
Cuisson : 40 minutes

- Éplucher et égréner le potiron. Le couper en cubes. Éplucher et laver les pommes de terre. Les couper en morceaux.
- Mettre dans une casserole en recouvrant juste d'eau. Laisser cuire à petit feu pendant 20 minutes.
- Passer au mixer. Ajouter un peu de noix muscade râpée. Verser dans la soupière. Saupoudrer de persil haché.

50 g de pommes de terre par portion, cela rend le potage plus onctueux. Mais, surtout si votre régime est très strict, n'oubliez pas que vous les avez consommés!

Potage Crécy

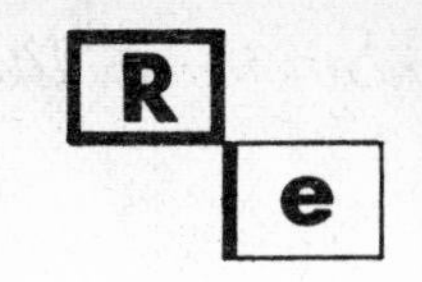

Pour 4 personnes

750 g de carottes
2 beaux poireaux
1 oignon moyen
20 g de beurre
0,250 l de lait écrémé
1 jaune d'œuf
sel, poivre

Préparation : 15 minutes
Cuisson : 35 minutes

- Éplucher et laver les légumes. Émincer les oignons et les blancs de poireaux. Couper les carottes en bâtonnets.
- Faire fondre oignons et blancs de poireaux dans le beurre. Ajouter les morceaux de carottes. Couvrir d'eau. Laisser étuver pendant 30 minutes.
- Passer au mixer. Saler. Poivrer. Ajouter 0,250 l de lait écrémé et suffisamment d'eau pour obtenir 1 l de potage.
- Chauffer doucement.
- Avant de servir, mettre un jaune d'œuf au fond de la soupière. Délayer avec quelques cuillerées de potage. Verser le restant du potage sans cesser de tourner.

20 g de beurre pour l'ensemble de la préparation, cela fait 5 g par personne. Autant de moins à consommer par ailleurs! Pensez-y.

Les recettes ci-dessus ne sont que des exemples que vous pourrez accommoder à votre manière.

Préparez :

— des juliennes en remplaçant le chou-fleur par des haricots verts, des courgettes, des tomates coupées en petits morceaux; parfumez au fenouil;

— des soupes à l'oseille, au cresson, à la laitue, aux poireaux sur le même modèle que la soupe à la citrouille;

— des crèmes de navet, de céleri, de chou-fleur sur le modèle de la crème de champignons.

Et, pour varier, vous pouvez parfumer :

— des soupes et des potages à la tomate avec du basilic haché, du paprika, du curry, de la menthe fraîche, de l'origan, une pincée de safran, un peu de jus de citron;

— des soupes et des potages aux feuilles vertes (cresson, laitue, oseille, etc.) avec du poivre vert, du curry, de la noix muscade râpée, un peu de moutarde délayée avec un peu de bouillon;

— des soupes et potages tous-légumes, avec des fines herbes, de la ciboulette, de l'ail, du cresson haché ou du céleri râpé.

des entrées et des hors-d'œuvre

Littéralement, ces préparations « introduisent » le repas, ou se situent « hors de lui ». C'est peut-être la raison pour laquelle on oublie parfois de les compter lorsqu'on récapitule son alimentation quotidienne. A tort souvent, car nombre de ces plats ont une valeur énergétique élevée.

En pratique, ces hors-d'œuvre doivent surtout permettre d'équilibrer mieux l'alimentation en apportant la crudité, le supplément laitier ou protéique qui manquaient au reste de la ration. Ils aident ainsi à la variété, donc à l'équilibre.

Ils sont aussi, il faut bien le reconnaître, une survivance des repas traditionnels faits de multiples services successifs. S'ils sont à conserver dans les repas « habillés », il n'est nullement nécessaire de les faire figurer tous les jours à chaque repas, surtout si l'on ne dispose pas de beaucoup de temps.

Les recettes ci-après conviennent donc plutôt à des repas de réceptions, familiales ou amicales.

Vous pouvez également préparer comme entrée la plupart des recettes de salades ci-après et une grande partie des recettes d'œufs (œufs durs farcis, œufs en cocotte). Sans parler des crudités classiques (carottes, céleri, chou râpé, rondelles de concombre, etc.), pour lesquelles vous trouverez plus loin des suggestions de sauces.

Petits légumes au vinaigre

Légumes variés

carottes, chou-fleur, poivrons, haricots verts, petits oignons blancs, choux de Bruxelles, petits champignons de couche (dits de garniture), concombre, petits piments.

Pour l'assaisonnement

vinaigre d'alcool à 8°, vinaigre dit à cornichons, coriandre, poivre en grains, estragon, thym, laurier, clous de girofle.

Préparation : 15 minutes par kg de légumes

- On peut préparer des bocaux de légumes mélangés ou d'une seule espèce de légumes.
- Éplucher et laver soigneusement les légumes. Laisser entiers les petits oignons, les petits champignons, les petits piments, les choux de Bruxelles. Diviser le chou-fleur en petits bouquets. Couper les carottes, les haricots verts et le concombre en petits bâtonnets, les poivrons en lanières.
- Blanchir rapidement à l'eau bouillante salée et additionnée d'un demi-verre de vinaigre d'alcool par litre. Égoutter. Sécher soigneusement sur du papier absorbant.
- Ranger dans des bocaux préalablement ébouillantés, en intercalant thym, laurier, branches d'estragon. Ajouter 1 ou 2 clous de girofle, quelques grains de poivre et de coriandre. Remplir de vinaigre à cornichons. Fermer hermétiquement.
- Ne pas consommer avant trois semaines.

C'est plutôt un accompagnement qu'une entrée, à utiliser, par exemple, avec une viande froide.

Petits légumes au vinaigre, façon Picallili

Légumes variés

250 g de carottes
250 g de haricots verts
1 petit chou-fleur
1 petit concombre
200 g d'oignons blancs à cornichons
2 grosses branches de céleri
0,500 l de vinaigre à cornichons
100 g de cassonade
2 cuillerées à soupe de moutarde forte
2 cuillerées à soupe de maïzena
1 cuillerée à café de gingembre râpé
sel fin, Cayenne, poivre en grains

Préparation : 40 minutes + 12 heures de macération
Cuisson : 30 minutes

- Dans cette méthode, tous les légumes sont mélangés.
- Laver les légumes. Les sécher soigneusement. Éplucher le concombre, les oignons et les carottes. Équeuter les haricots verts. Diviser le chou-fleur en tout petits bouquets. Couper les autres légumes en petits bâtonnets. Mettre l'ensemble des légumes dans un grand saladier, une soupière ou une bassine, du type de celles utilisées pour les cornichons. Laisser macérer une douzaine d'heures.
- Égoutter soigneusement.
- Faire bouillir le vinaigre avec une dizaine de grains de poivre et une bonne pincée de Cayenne. Laisser refroidir.
- Délayer la maïzena avec un peu du liquide précédent. Ajouter la moutarde et le gingembre râpé.
- Dans une casserole, mettre les légumes égouttés, la cassonade, le vinaigre. Porter à ébullition. Ajouter le mélange précédent. Laisser épaissir en surveillant l'homogénéité de la pâte.
- Verser dans des bocaux préalablement ébouillantés. Fermer hermétiquement dès que la préparation a refroidi.
- Ne pas consonmmer avant trois semaines.

La cassonade, c'est du sucre. Toutes divisions faites, elle représente, pour chaque portion, l'équivalent d'un morceau de sucre n° 4. Alors, si vous aimez le café sucré, utilisez pour cela un édulcorant.

Terrine de légumes au poivre vert

Pour 6/8 personnes

500 g de carottes jeunes
500 g de haricots verts
4 fonds d'artichauts assez gros
400 g de navets jeunes
0,200 l de lait demi-écrémé
2 jaunes d'œufs
quelques gouttes de jus de citron
1 sachet de gelée
1 cuillerée à soupe de poivre vert
estragon, persil, cerfeuil, sel, poivre, paprika, bouquet garni

Préparation : 1 heure
Cuisson : 30 minutes

- Éplucher et laver les légumes. Couper les carottes en bâtonnets et les haricots verts en morceaux. Mettre chaque série dans une mousseline. Plonger dans l'eau bouillante additionnée de sel, poivre en grains, bouquet garni. Mettre également à cuire les navets et les fonds d'artichauts.

- Retirer les haricots verts après 20 minutes, les fonds d'artichauts après 30 minutes et les navets après 40 minutes.

- Préparer la gelée comme indiqué sur le mode d'emploi. En verser dans un moule à terrine ou dans un moule à cake. Remuer le moule de manière à répartir la gelée sur le fond et sur les parois. Mettre au réfrigérateur pendant 5 minutes. Tenir la gelée au chaud.

- Ranger les petits bâtonnets de carottes sur la gelée. Saupoudrer de cerfeuil haché et de quelques grains de poivre vert. Verser une couche de gelée par-dessus. Remettre au réfrigérateur.

- Réduire les artichauts en purée. Délayer avec un peu de lait chaud. Ajouter un jaune d'œuf, quelques gouttes de jus de citron et un peu de paprika. Étaler en couche régulière sur le dessus du moule. Mêler quelques grains de poivre vert. Ajouter encore une mince couche de gelée. Mettre au réfrigérateur.

- Ranger les haricots verts régulièrement avec un peu de persil haché. Verser encore un peu de gelée. La faire prendre au réfrigérateur.

- Faire une purée avec les navets, un peu de lait, un jaune d'œuf. Ajouter un peu d'estragon haché. Étaler en couches régulières. Terminer par du poivre vert, puis de la gelée.
- Mettre au réfrigérateur jusqu'au moment de servir (2 heures au moins).
- Se démoule et se découpe en tranches comme un pâté.
- Servir avec une sauce Méditerranée et/ou une sauce trappeur.

**Une entrée qui se mange autant des yeux que du palais. C'est d'ailleurs la moitié du plaisir des repas.
Et... pas de problèmes sur la balance!**

Mousse de saumon

Pour 4/6 personnes

200 g de saumon en boîte
100 g de fromage à 0 % de m.g.
1 cuillerée à soupe de concentré de tomates
1 petit verre de porto (ou madère)
1 petite boîte de pelures de truffes
1 sachet de gelée
sel, poivre, paprika

Préparation : 30 minutes

- Préparer la gelée comme indiqué sur le mode d'emploi. Ajouter le porto. Tenir au tiède.
- Battre le fromage blanc au fouet. Ajouter le saumon égoutté et passé au mixer ou à la moulinette, puis le concentré de tomates. Mélanger. Ajouter sel, poivre, paprika, quelques pelures de truffes et une cuillerée à soupe de gelée.
- Verser un peu de gelée dans le fond de petits moules ou ramequins. Disposer par-dessus des petits morceaux de pelures de truffes pour décorer. Verser encore un peu de gelée en remuant les moules pour qu'elle se dépose aussi sur les parois. Mettre les moules au réfrigérateur pour faire prendre la gelée.
- Remplir avec la mousse de saumon. Mettre quelques minutes au réfrigérateur.
- Terminer par une mince couche de gelée. Mettre au réfrigérateur pendant 2 heures au moins.

N.B. : On peut remplacer le saumon par du jambon. Mais la préparation est moins fine.

La gelée, quel bon moyen de présenter joliment un plat! Elle donne de la tenue et du brillant. Mais doit rester aussi discrète qu'un maquillage réussi.
Les puristes vous diront qu'on ne la prépare bien qu'avec pied et jarret de veau, plus quantité de manipulations. Il faut 3 à 5 heures pour cela. Et c'est cher. Très franchement, les préparations en sachet donnent, à meilleur compte, un bon résultat.

Petites tomates fourrées

Pour 4 personnes

8 petites tomates bien rondes et bien fermes
200 g de thon au naturel (ou reste de poisson)
1 cuillerée à soupe de moutarde forte
3 cuillerées à soupe de fromage blanc à 0 % de m. g.
2 jaunes d'œufs durs
persil, estragon, sel, poivre, paprika

Préparation : 20 minutes

- Retirer un petit chapeau à chaque tomate. Creuser doucement avec une cuiller pour retirer une partie de la chair *. Saler l'intérieur des tomates.
- Mélanger fromage blanc et moutarde. Ajouter les jaunes d'œufs durs et le thon divisé en petits morceaux. Passer au mixer pour obtenir une purée onctueuse. Saler, poivrer. Ajouter une bonne pincée de paprika, du persil et de l'estragon haché.
- Retourner les tomates sur du papier absorbant pour leur faire perdre leur eau.
- Remplir avec la préparation précédente.
- Servir bien frais.

* *Vous l'utiliserez pour un potage ou une sauce.*

Le jaune d'œuf dur permet de lier cette farce froide. Une idée à retenir pour préparer des sauces au yaourt ou au fromage blanc.

Huîtres pochées au champagne

Pour 4 personnes

24 huîtres creuses 1/2 bouteille de champagne brut
4 jaunes d'œufs poivre en grains

Préparation : 25 minutes
Cuisson : 5 minutes au total

- Ouvrir et décoquiller les huîtres. Conserver l'eau et la filtrer.
- Laver soigneusement les coquilles. Les sécher. Les disposer dans un plat à four.
- Faire pocher les huîtres 1 minute environ dans le champagne. Égoutter. Remettre dans les coquilles.
- Mettre les jaunes d'œufs dans un saladier. Ajouter l'eau des huîtres et le même volume de champagne. Poivrer. Fouetter jusqu'à ce que le mélange devienne mousseux.
- Recouvrir les huîtres avec cette préparation. Faire dorer quelques minutes à four chaud.

Cette préparation un peu particulière — jaunes d'œufs battus dans un liquide froid — s'appelle un « sabayon ». C'est onctueux, moelleux et pas gras (si le liquide ne l'est pas).

Champignons à la grecque

Pour 4 personnes

1 citron	1/2 verre de vin blanc sec
300 g de champignons de couche (de petite taille)	2 cuillerées à soupe d'huile d'olive
	12 grains de poivre
100 g de petits oignons blancs	12 grains de coriandre

bouquet garni, sel

Préparation : 10 minutes
Cuisson : 20 minutes

- Éplucher et laver les petits oignons.
- Mettre le poivre, la coriandre, le bouquet garni, le vin blanc et 2 verres d'eau dans une casserole. Porter à ébullition. Ajouter les petits oignons.
- Oter le pied sableux des champignons. Laver rapidement. Les mettre aussi dans la casserole. Ajouter le jus de citron, l'huile d'olive et un peu de sel. Couvrir. Laisser cuire doucement pendant 10 minutes.
- Oter le bouquet garni. Verser la préparation dans un petit saladier. Laisser refroidir.

VARIANTES

On peut préparer de la même façon :

— des mini-artichauts,
— des morceaux de bulbes de fenouils,
— des blancs de petits poireaux,
— des petits oignons,
— des morceaux de courgettes,
— des petits bouquets de chou-fleur,
— des moules décoquillées.

Au départ, il y a 2 cuillerées à soupe d'huile d'olive pour 4 personnes. Mais l'huile ne fait pas toute la sauce. Et rien ne vous oblige, vous, à arroser largement ces petits légumes lorsque vous vous servez.

Fonds d'artichauts aux crevettes

Pour 4 personnes

- 5 gros artichauts
- 200 g de crevettes décortiquées
- 4 crevettes roses
- 1 citron
- 2 brins de ciboulette
- persil, cerfeuil, sel, poivre
- mayonnaise minceur *(voir p. 245)*

Préparation : 25 minutes

Cuisson : 30 minutes (quelques heures à l'avance)

- Couper les queues des artichauts. Oter les feuilles les plus dures. Laver. Laisser cuire 30 minutes à l'eau bouillante salée. Laisser refroidir.
- Mettre les crevettes à mariner dans le jus de citron avec du se et du poivre.
- Retirer les feuilles et le foin des artichauts. Racler au maximum la chair restant sur les feuilles. Ajouter le fond du 5e artichaut Passer à la moulinette. Mélanger avec les 2/3 de la mayonnaise Répartir sur les 4 fonds d'artichauts.
- Égoutter les crevettes. Les disposer sur la purée d'artichauts.
- Ajouter les fines herbes à la mayonnaise restante. En recouvrir les crevettes. Décorer le dessus avec une crevette rose.

1 fond d'artichaut aux crevettes, c'es une entrée ; 2 fonds d'artichauts suivis d'un yaourt et d'un fruit, c'est u repas rapide, original et sans pro blèmes.

Timbales de langoustines

F

Pour 4 personnes

25 langoustines
3 verres de vin blanc sec
1 carotte
2 oignons
1 échalote
2 cuillerées à café de cognac
3 cuillerées à soupe de fromage à 0 % de m. g.
bouquet garni
1 cuillerée à café de concentré de tomates
1 sachet de préparation pour gelée
sel, poivre, paprika, clous de girofle

Préparation : 30 minutes
Cuisson : 15 minutes au total

- Préparer un court-bouillon parfumé avec le vin blanc, la carotte, l'oignon piqué de clous de girofle, l'échalote, le bouquet garni. Y faire cuire les langoustines.
- Lorsqu'elles sont cuites, les égoutter. Ouvrir les carapaces. Retirer la chair. La hacher finement. Ajouter le cognac.
- Préparer la gelée comme indiqué sur le mode d'emploi.
- Battre le fromage blanc. Ajouter le concentré de tomates. Saler. Poivrer. Ajouter du paprika. Mélanger. Ajouter les langoustines hachées égouttées et 2 verres de gelée refroidie, mais encore liquide.
- Verser dans de petits moules passés à l'eau froide. Mettre au réfrigérateur pendant 10 heures environ.
- Démouler sur des feuilles de laitue.

La gelée aide ces timbales à garder leur tenue quand on les démoule. Ce qui évite d'utiliser une sauce à base d'amidon. C'est aussi beaucoup plus fin.

Caillettes de la Drôme

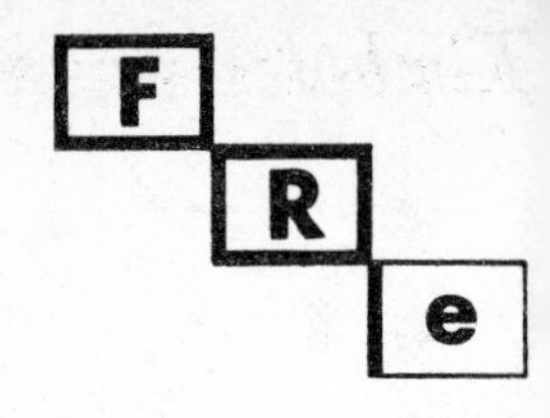

Pour 6 caillettes

300 g d'épinards	1 oignon moyen
300 g de feuilles de bettes	1 gousse d'ail
300 g de jambon maigre	1 cuillerée à soupe rase de saindoux
300 g de foie de porc	
2 œufs	100 g de crépine de porc

persil, basilic, thym, sel, poivre

Préparation : 25 minutes
Cuisson : 50 minutes au total

- Nettoyer, laver et faire cuire à l'eau bouillante salée épinards et feuilles de bettes pendant une dizaine de minutes. Égoutter à fond. Hacher.
- Hacher le jambon et le foie de porc. Éplucher, laver, émincer l'oignon.
- Faire fondre le saindoux dans une sauteuse à revêtement anti-adhésif. Y faire dorer l'oignon. Ajouter le foie et le jambon hachés. Ajouter l'ail haché, du persil, un peu de basilic et du thym émietté. Saler. Poivrer. Terminer par le hachis de feuilles de bettes et d'épinards. Mélanger. Laisser cuire 7 à 8 minutes.
- Verser cette préparation dans un saladier. Ajouter les 2 œufs battus en omelette. Façonner en boulettes. Entourer d'un morceau de crépine.
- Ranger dans un plat à four. Laisser cuire à four moyen pendant 30 minutes environ.
- Se sert froid ou chaud.

Dans les caillettes classiques, on met du lard. Du lard maigre, mais qui est bien gras quand même. En utilisant du jambon et en ajoutant un œuf, on obtient un résultat très voisin et beaucoup moins gras. L'essentiel dans les caillettes, c'est le mélange bettes-épinards et les herbes.

Cocktail de moules

Pour 4 personnes

1 litre de moules — 1 pied de céleri-rave
2 œufs — 1 citron
2 tomates bien fermes — 4 feuilles de laitue
sel, poivre, bouquet garni
sauce tartare *(voir recette, p. 246)*

Préparation : 30 minutes
Cuisson : 25 minutes au total

- Nettoyer les moules. Les faire ouvrir dans une sauteuse avec de l'eau, du sel, du poivre et le bouquet garni pendant une dizaine de minutes. Laisser refroidir.
- Faire durcir les œufs.
- Laver les tomates. Les couper en huit. Laver et sécher les feuilles de laitue.
- Éplucher, laver et râper le pied de céleri. Le recouvrir de jus de citron.
- Décoquiller les moules.
- Dans des coupes individuelles, disposer les feuilles de laitue. Répartir le céleri par-dessus, puis les moules. Napper de sauce. Décorer avec des quartiers d'œufs durs et des morceaux de tomates.

Beaucoup de recettes de moules (celles qui comportent seulement de petites quantités de beurre ou de crème) sont parfaitement compatibles avec une action anti-kilos superflus. Avouez que c'est une ressource appréciable!

Cocktail de crevettes

Pour 4 personnes

400 g de crevettes roses
2 tomates
1 cuillerée à soupe de tomato-ketchup
mayonnaise minceur *(voir recette, p. 245)*
2 œufs
1 cuillerée à soupe de cognac ou Grand Marnier
quelques feuilles de laitue

Préparation : 30 minutes

- Faire durcir les œufs. Laisser refroidir. Éplucher.
- Réserver 4 crevettes et éplucher les autres. Les arroser de cognac ou de Grand Marnier.
- Laver les tomates et la laitue. Couper la laitue en lanières et les tomates en rondelles.
- Hacher l'un des œufs durs, couper l'autre en tranches.
- Ajouter le ketchup à la mayonnaise. Mélanger. Ajouter les crevettes épluchées et l'œuf dur haché.
- Dans des coupelles ou des verres hauts, disposer la chiffonnade de laitue, puis les crevettes à la mayonnaise.
- Décorer avec des rondelles de tomates et d'œufs durs et la crevette rose.
- Servir très frais.

Autre version, un peu plus coûteuse : employer 700 g de crevettes roses et pas d'œufs durs.

Pamplemousses aux champignons

Pour 4 personnes

2 pamplemousses 1 citron
150 g de champignons de couche quelques feuilles de laitue
sel, poivre, Cayenne
mayonnaise minceur *(voir recette, p. 245)*

Préparation : 20 minutes
Cuisson : 7 à 8 minutes

- Couper le pied sableux des champignons. Laver rapidement. Sécher. Émincer.
- Mettre dans une casserole avec le jus du citron, du sel et du poivre. Porter à ébullition. Baisser le feu et laisser étuver doucement pendant 7 à 8 minutes. Il ne doit pas y avoir beaucoup de liquide.
- Égoutter. Laisser refroidir les champignons.
- Laver et sécher les feuilles de laitue. Couper en chiffonnade.
- Couper les pamplemousses en deux. Retirer la chair et la couper à vif tout en recueillant le jus.
- Ajouter ce jus à la mayonnaise. Relever celle-ci de poivre et d'un peu de Cayenne. Lui mélanger les champignons et la chair des pamplemousses.
- Garnir les écorces de pamplemousses de chiffonnade de laitue. Y verser le mélange champignons-chair des fruits. Servir bien frais.

Si vous adoptez cette entrée, prévoyez un dessert au lait pour terminer le repas. L'élément cru est assuré.

des salades et des crudités

Une salade, c'est classiquement des feuilles vertes d'origine diverse (laitue, chicorée, mâche, etc.), mélangées à une vinaigrette et que l'on mange entre le plat principal et le fromage.

Une salade c'est, dans la pratique, le domaine de la cuisine où l'imagination joue le plus.

Des simples feuilles vertes, on est passé à toutes les crudités (émincées, coupées en tranches, râpées), aux légumes cuits, aux œufs durs, aux viandes et aux poissons cuits (les préparer en salade est une excellente façon d'utiliser les restes). On peut également mélanger tous ces éléments entre eux (comme dans la très célèbre salade niçoise).

Une salade c'est l'une des grandes ressources de la cuisine allégée. Elle peut représenter l'entrée du repas, la salade classique, mais aussi le plat principal, voire le repas tout entier s'il s'agit d'un mélange harmonieux.

Les salades, on pourrait leur consacrer un volume entier. Les quelques recettes qui suivent ne sont qu'une illustration des principaux types de salades. Un simple modèle sur lequel vous pourrez bâtir tous les types de salades qui vous feront envie (à condition de rester dans les limites possibles de corps gras).

Laitue à la ciboulette

Pour 4 personnes

2 petites laitues bien tendres
1 pot de yaourt nature
1 cuillerée à soupe de jus de citron
1 cuillerée à café d'huile d'olive
3 ou 4 brins de ciboulette
sel, poivre

Préparation : 10 minutes

- Éplucher, laver, essorer la laitue.
- Dissoudre le sel et le poivre dans le jus de citron. Ajouter l'huile d'olive puis, peu à peu, le yaourt.
- Disposer la salade dans un saladier. Verser la sauce. Remuer. Saupoudrer de ciboulette hachée. Remuer à nouveau.
- Servir aussitôt.

Si votre régime est très strict, supprimez la cuillerée d'huile d'olive.

Salade de pleurotes

Pour 4 personnes

400 g de pleurotes
2 citrons
1 cuillerée à soupe d'huile d'olive
cerfeuil, coriandre, sel, poivre

Préparation : 15 minutes
Cuisson : 5 minutes (1 heure à l'avance)

- Nettoyer les pleurotes. Les couper en morceaux. Chauffer doucement pendant 5 minutes environ dans une poêle à revêtement antiadhésif.
- Mettre les pleurotes chauds dans un saladier. Arroser du jus de citron. Ajouter l'huile d'olive et une dizaine de grains de coriandre. Saler. Poivrer. Mélanger et laisser reposer une bonne heure.
- Saupoudrer de cerfeuil haché juste au moment de servir.

C'est une entrée ou encore l'accompagnement d'une viande ou d'un poisson froid. C'est aussi le quart d'une cuillerée à soupe d'huile.

Salade de navets

Pour 4 personnes

250 g de navets nouveaux	1 citron
1 pot de yaourt nature	sel fin, poivre, paprika, Cayenne

Préparation : 20 minutes

- Éplucher les navets. Les râper pas trop finement. Saupoudrer assez largement de sel fin. Laisser dégorger pendant 10 à 15 minutes.
- Rincer rapidement sous l'eau courante. Égoutter. Sécher sur du papier absorbant.
- Faire une sauce avec le yaourt et le jus d'un demi-citron. Poivrer. Ajouter une petite pointe de Cayenne. Mélanger.
- Ajouter les navets. Ajouter éventuellement un peu de sel. Saupoudrer d'une pincée de Cayenne. Décorer avec des mini-tranches de citron.

Un de ces délicieux plats sans problèmes que l'on regrette de ne pas avoir découverts avant d'être « au régime ».

Salade de chou-fleur cru

Pour 4 personnes

1 petit chou-fleur bien serré
3 ou 4 branches de cresson
2 cuillerées à soupe d'huiled'olive *
1,5 cuillerée à soupe de jus de citron
1 cuillerée à café de moutarde
sel, poivre

Préparation : 10 minutes (3/4 d'heure à l'avance)

- Éplucher le chou-fleur. Le diviser en petits bouquets en éliminant les plus grosses côtes. Laver très soigneusement à l'eau courante. Sécher sur du papier absorbant.
- Délayer la moutarde avec le jus de citron. Ajouter un peu de sel, du poivre moulu et l'huile.
- Verser sur les bouquets de chou-fleur. Remuer pour bien répartir la sauce. Laisser reposer 45 à 60 minutes.
- Laver et sécher le cresson. Présenter le chou-fleur en ravier sur les feuilles de cresson.

* *Ou mélange, moitié huile d'olive, moitié huile de paraffine.*

De toute façon, il faut tenir compte de cette quantité d'huile.

Mesclade

Pour 4 personnes

400 g de mesclun *	1 gousse d'ail
1 petite laitue de Trévise bien pommée	2 brins de ciboulette
	vinaigrette *(voir recette, p. 242)*

Préparation : 10 minutes

- Laver et égoutter mesclun et laitue de Trévise.
- Éplucher la gousse d'ail. En frotter le saladier.
- Y déposer les feuilles de salade. Arroser de vinaigrette (contenant si possible un peu d'huile d'olive). Remuer.
- Saupoudrer d'un peu de ciboulette coupée aux ciseaux.

***** *Le mesclun n'est pas une plante, mais un mélange de plantes semées ensemble (laitue, doucette, romaine, chicorée amère, scarole, pissenlit, cresson alénois, cerfeuil) et coupées très tendres dès qu'elles atteignent 5 à 6 cm de haut. Le goût du mesclun est donc très variable suivant les proportions pas toujours identiques des plantes et suivant la saison. Le mesclun d'automne est souvent le meilleur.*

Un plat totalement neutre... si la vinaigrette ne comporte pas de « vraie » huile.

Salade multicolore

Pour 4 personnes

4 cœurs de laitue
2 carottes moyennes
1/2 concombre
quelques feuilles de chicorée amère
2 branches tendres de céleri
vinaigrette au yaourt *(voir recette, p. 243)*

Préparation : 20 minutes

- Laver le concombre. Couper en tranches minces sans l'éplucher. Saupoudrer de sel fin. Laisser dégorger pendant 30 minutes. Essuyer.
- Laver les feuilles de laitue et de chicorée. Essorer. Couper en chiffonnade les feuilles de chicorée.
- Nettoyer, laver, hacher les branches de céleri.
- Éplucher, laver, râper les carottes.
- Disposer dans un plat creux en faisant alterner couleurs et formes. Arroser de vinaigrette. Servir ainsi sans remuer.

VARIANTES

Elles sont innombrables, puisque vous pouvez utiliser des petits bouquets de chou-fleur, de la betterave, du radis noir ou rose, du céleri-rave, des champignons de Paris, de la scarole, des tomates, etc.

Le principe est simplement de disposer des légumes de couleurs différentes (vert, blanc, rose ou rouge) présentés également de façons différentes (râpés, en tranches, en lanières, en cubes, en feuilles, etc.).

Une crudité avantageuse qui vous dispense de manger un fruit au même repas.

Salade aux deux radis

Pour 4 personnes

1 botte de radis roses 1/2 radis noir
sauce au roquefort *(voir recette, p. 251)*
ou vinaigrette au yaourt *(voir recette, p. 243)*
cerfeuil

Préparation : 15 minutes

- Éplucher les radis. Couper les radis roses en rondelles. Râper le radis noir.
- Ajouter la sauce. Mélanger. Saupoudrer de cerfeuil haché.
- Servir très frais.

VARIANTES

Vous pouvez préparer de la même façon : un mélange navets râpés + carottes en rondelles — chou rouge haché et chou blanc râpé.

C'est le type de sauce choisie (au roquefort ou au yaourt) qui dictera les quantités à consommer.

Salade verdure

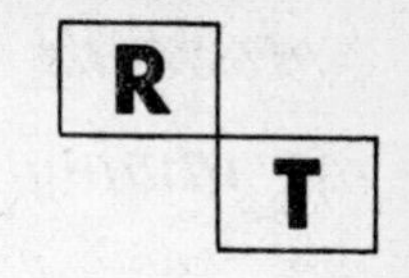

Pour 4 personnes

1 petite laitue
150 g d'oseille crue
200 g de haricots verts cuits
1 petit poivron vert
vinaigrette aux herbes *(voir recette, p. 242)*

Préparation : 20 minutes

- Éplucher, laver, égoutter laitue et oseille. Hacher grossièrement l'oseille.
- Laver le poivron. Oter les pépins. Couper en lanières.
- Mettre tous les ingrédients dans un saladier.
- Arroser de sauce, remuer. Servir.

VARIANTES

Vous pouvez aussi réussir un mélange de verdure crue et cuite avec : cresson, fonds d'artichauts et concombres.

Une façon d'utiliser un reste de haricots en renouvelant la présentation.

Salade de chou blanc au jambon

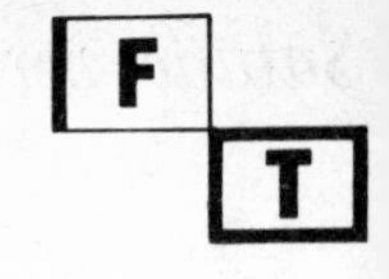

Pour 4 personnes

2 tranches de jambon maigre — 1 œuf dur
1 petit chou blanc — persil
vinaigrette *(voir recettes, p. 242)*

Préparation : 15 minutes

- Éplucher, laver et râper le chou blanc.
- Couper le jambon en lanières fines.
- Disposer dans un saladier. Recouvrir de persil haché et d'œuf dur râpé en mimosa.
- Arroser de vinaigrette.

VARIANTES

Vous pouvez jouer les couleurs inverses et préparer du chou rouge râpé au blanc de poulet.

**Une salade que nos habitudes mettent plutôt au début du repas.
Un exemple aussi de toutes les possibilités offertes par le chou lorsqu'on le digère bien et qu'on n'en abuse pas.**

Salade reinette

Pour 4 personnes

500 g de carottes 1 citron
1 bulbe de fenouil cerfeuil
2 petites pommes reinettes
vinaigrette au jus de citron *(voir recette, p. 243)*
ou au yaourt *(voir recette, p. 243)*

Préparation : 20 minutes

- Éplucher les pommes. Oter les pépins. Couper en minces lamelles. Arroser de jus de citron pour qu'elles restent bien blanches.
- Oter les parties dures du fenouil. Laver. Hacher finement.
- Éplucher et laver les carottes. Les râper.
- Mélanger dans un saladier. Arroser de vinaigrette. Saupoudrer de cerfeuil haché.

VARIANTES

Vous pouvez aussi mettre dans vos salades des tranches d'orange ou des morceaux d'ananas. L'essentiel est de tenir compte des quantités de fruits ainsi consommées.

Quand on ne peut envisager qu'une très petite quantité de fruits, mieux vaut souvent les mélanger à une salade. On est certain de ne pas manger au-dessus de ses possibilités : tout est mesuré d'avance.

Salade de coques

Pour 4 personnes

2 litres de coques
2 oignons moyens
3 échalotes
1 gousse d'ail
1 verre de vin blanc sec
1 bouquet de persil
1 citron
1 cuillerée à soupe d'huile
sel, poivre, gros sel

Préparation : 30 minutes
Cuisson : 10 minutes

- Laver soigneusement les coques. Les mettre à tremper pendant 30 minutes dans de l'eau additionnée de gros sel pour leur faire dégorger leur sable.
- Rincer les coques. Les mettre dans un fait-tout avec 1 oignon, 1 échalote hachée et le vin blanc. Faire ouvrir pendant 10 minutes sur feu doux.
- Égoutter. Garder le jus de cuisson. Le passer. Retirer les coquilles.
- Faire une sauce avec le jus du citron, quelques cuillerées du jus des coques et l'huile. Saler légèrement. Poivrer.
- Hacher l'ail, les 2 échalotes restantes et le persil. Défaire l'oignon en anneaux.
- Mettre les coques dans un saladier. Recouvrir du hachis. Arroser de sauce. Décorer avec les anneaux d'oignon.

Ce n'est même pas une recette de régime. Ma grand-mère la faisait déjà ainsi il y a 30 ans, prétendant qu'on « trouvait » mieux le goût des coques. Lisez bien votre livre de cuisine. Il contient certainement beaucoup de recettes « nouvelles » par anticipation.

Salade de poisson

Pour 4 personnes

250 g de restes de poisson (poids net)
1 petite botte de cresson
2 œufs durs
2 ou 3 branches de céleri
mayonnaise mousseline *(voir recette, p. 245)*
ou vinaigrette au jus de citron *(voir recette, p. 243)*

Préparation : 20 minutes

- Éplucher et laver très soigneusement le citron. Égoutter.
- Oter les parties dures des côtes de céleri. Couper en tout petits morceaux.
- Éplucher les œufs durs et les couper en quartiers.
- Diviser le poisson en petits morceaux.
- Disposer le cresson dans le fond du saladier. Poser par-dessus les morceaux de céleri et de poisson. Décorer avec les œufs durs. Arroser de sauce.

VARIANTES

Vous pouvez aussi préparer cette salade avec du poisson en conserve au naturel.

Doublez les proportions et vous aurez un plat qui peut être le centre du repas.

Salade de fruits de mer au pamplemousse

Pour 4 personnes

1 litre de moules	2 pamplemousses
200 g de crevettes décortiquées	1 oignon moyen
1 scarole	persil
mayonnaise minceur	*(voir recette, p. 245)*

Préparation : 20 minutes
Cuisson : 20 minutes

- Laver et gratter les moules. Les faire ouvrir sur feu doux avec l'oignon haché et le persil. Laisser tiédir.
- Éplucher, laver, égoutter la salade. La couper en lanières.
- Éplucher les pamplemousses. Couper la chair à vif en recueillant le jus.
- Découquiller les moules. Les mettre dans un saladier avec les crevettes, les lanières de scarole et les morceaux de pamplemousses.
- Ajouter le jus de pamplemousse à la mayonnaise. Mélanger. Servir très frais.

Vous pouvez remplacer le pamplemousse par de l'orange. De toute façon vous aurez mangé une entrée, mais aussi un fruit.

Salade de bœuf à la provençale

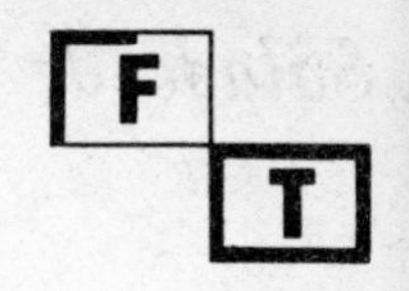

Pour 4 personnes

200 g (poids net) de restes de pot-au-feu
4 tomates moyennes
1 bulbe de fenouil
1 petit poivron vert
1 gousse d'ail
vinaigrette *(voir recettes, p. 242)*

Préparation : 15 minutes

- Détailler la viande de pot-au-feu en petits cubes.
- Oter les parties dures du fenouil. Couper en petits morceaux.
- Éplucher et laver les tomates. Les couper en quartiers.
- Laver le poivron. Oter les pépins. Couper en lanières.
- Disposer dans un saladier. Saupoudrer d'ail haché. Arroser de vinaigrette. Bien mélanger.

VARIANTES

Vous pouvez aussi préparer un reste de pot-au-feu avec :

— des œufs durs, des tomates et une vinaigrette aux câpres ou une sauce gribiche;

— de la laitue, du céleri, une pomme fruit et une vinaigrette au yaourt;

— du radis noir, des carottes râpées et une vinaigrette aux herbes.

Si vous faites suivre ce plat d'un dessert aux œufs et au lait, vous aurez un repas-pyjama (deux pièces) parfaitement équilibré.

Salade de poulet aux légumes F R

Pour 4 personnes

200 g (poids net) de restes de poulet
2 œufs durs
1 petite betterave rouge cuite
200 g environ de haricots verts cuits
1 oignon moyen
vinaigrette aux herbes *(voir recette*, p. *242)*

Préparation : 10 minutes

- Couper le poulet en minces lamelles.
- Éplucher les œufs durs et les couper en quartiers.
- Éplucher la betterave et la couper en petits cubes.
- Éplucher l'oignon, le couper en tranches.
- Dans un saladier disposer les haricots verts et les petits cubes de betterave. Poser les lamelles de poulet par-dessus. Décorer avec des quartiers d'œufs durs. Sur le dessus défaire en anneaux les rondelles d'oignon.
- Arroser de vinaigrette. Servir aussitôt.

VARIANTES

En fait, vous pouvez ajouter des restes de poulet à n'importe quel type de salade. Et si le modèle de celle-ci vous plaît, vous pouvez remplacer le poulet par un reste de veau froid, du jambon, du thon au naturel ou des restes de poisson.

C'est un petit plat garni (viande et légumes).

des œufs

L'œuf est le plus équilibré de tous les aliments protéiques. Les nutritionnistes l'ont même — calculs et preuves en main — élu « protéine de référence », servant à estimer la valeur biologique des autres protéines alimentaires. Ces protéines sont réparties également dans le blanc et le jaune. Mais c'est le jaune seul qui renferme les lipides, les graisses. L'œuf en contient 12 %, soit 6 g pour un œuf de taille moyenne. Ce n'est donc pas un aliment spécialement gras. La plupart des viandes et des fromages contiennent un taux de lipides au moins aussi élevé. C'est également dans le jaune que se trouve la vitamine A (dont l'œuf est, avec le foie et le beurre, l'une des sources les plus intéressantes de notre alimentation) et le fer.

A toutes ces qualités, l'œuf en ajoute une autre : il n'est pas cher. 2 œufs de taille moyenne (60/65 g) ont la valeur nutritive de 100 g de bifteck. Faites le compte.

Pourtant, en France, l'œuf a mauvaise réputation : on lui reproche de « faire mal au foie », ce que contestent vigoureusement les spécialistes des maladies hépatiques.

Un œuf frais (choisir des œufs frais EXTRA et très propres et les consommer dans les trois semaines) et convenablement préparé est de digestion facile et les intolérances — de type allergique — sont, tout compte fait, relativement rares.

Régime amaigrissant strict ou simple cuisine allégée, l'œuf est une ressource précieuse.

D'une part, il existe mille et une façons de faire cuire un œuf, seul ou accompagné. D'autre part, l'œuf permet d'améliorer nettement bien des préparations. On peut, par exemple, utiliser le jaune seul ou l'œuf entier battu pour lier une sauce, pour rendre plus onctueuse une purée. Ou encore, bâtir autour de blancs d'œufs battus en neige un entremets, un gratin, une sauce particulièrement légers. Seule précaution : tenir compte de ces œufs cachés. Si un jaune d'œuf pour 4 à 6 personnes ne représente qu'un apport négligeable, 1 ou 2 œufs par portion dans un flan (même aux légumes), une entrée, une crème font absorber sans que l'on s'en rende toujours compte l'équivalent de 50 à 100 g de viande.

Tous les œufs à la coque

Banal, l'œuf à la coque? Peut-être. Il n'empêche que la façon de le faire cuire (départ à l'eau chaude ou à l'eau froide), la durée de la cuisson (2 ou 3 minutes) donnent lieu à un certain nombre de controverses, et de même que l'on aime une grillade bleue, saignante ou à point on préfère des œufs à la coque au blanc plus ou moins crémeux. Sans parler des étourdi(e)s qui transforment éternellement en œufs durs des œufs prévus à la coque.

Voici donc, à titre indicatif, quelques conseils de cuisson :

INDISPENSABLE

— sortir les œufs du réfrigérateur 1 heure au moins avant le début de la cuisson pour éviter que la coquille ne se fêle au changement de température;

— les faire cuire dans de l'eau additionnée de gros sel;

— les passer sous l'eau froide dès que la cuisson est terminée pour stopper vraiment celle-ci (rassurez-vous : seule la coque se refroidit, provisoirement d'ailleurs, l'œuf reste très chaud);

— utiliser pour mesurer la durée de la cuisson un sablier ou, mieux, un compte-minutes à sonnerie; si l'on est très distrait, adopter un cuiseur à œufs électrique (90 F environ) qui s'arrête tout seul.

AU CHOIX

— si vous aimez les œufs à la coque au blanc à peine pris, faites débuter la cuisson à l'eau froide. Retirez les œufs dès que l'eau commence à bouillir à gros bouillons;

— si vous préférez un blanc plus crémeux, deux solutions :

• faire débuter la cuisson à l'eau froide. Baisser la flamme (ou retirer la casserole de la plaque électrique) dès l'ébullition. Laisser les œufs dans l'eau bouillante pendant 1 minute *comptée ;*

• faire débuter la cuisson à l'eau bouillante et laisser cuire 2 minutes (3 au maximum) *comptées.*

De toute façon, même bien pris, le blanc d'un œuf à la coque ne doit jamais être dur.

POUR VARIER

Pas question (ou si peu, et pas pour tout le monde) de mouillettes de pain beurré.

Alors pour varier le goût de l'œuf à la coque, essayez :

— *L'œuf à l'estragon* : pendant les 12 heures qui précèdent la cuisson, enveloppez les œufs d'aluminium ménager où vous aurez disposé quelques feuilles d'estragon. La coquille est poreuse et l'œuf prendra ainsi le parfum de l'estragon. On peut aussi prévoir un peu d'estragon haché qui sera saupoudré sur le dessus de l'œuf après ouverture.

— *L'œuf à la ciboulette* : c'est de la ciboulette hachée que l'on saupoudre sur l'œuf à la coque ouvert.

— *L'œuf aux herbes* : même façon de procéder avec un mélange persil + cerfeuil, un peu de fenouil ou de basilic hachés.

— *L'œuf aux épices* : en même temps que le sel et le poivre, ajouter à votre œuf un peu de noix muscade râpée, de curry ou de paprika.

— *L'œuf aux asperges* : ou plus exactement les asperges à l'œuf. Servez un œuf à la coque en accompagnement de petites asperges cuites à l'eau. On trempe les asperges dans l'œuf à la coque salé et poivré.

Mollet, dur ou poché

Ces autres façons de faire cuire les œufs à l'eau sont, elles aussi, susceptibles de multiples présentations. Dans l'œuf mollet, le jaune est encore liquide, mais le blanc est nettement dur.

On fait cuire l'œuf mollet :

— à l'eau froide : 3 minutes à partir du début de l'ébullition;

— à l'eau bouillante : 4 à 5 minutes à partir du début du chauffage.

L'œuf mollet peut être consommé dans sa coquille comme l'œuf à la coque et on peut lui apporter tous les assaisonnements ci-dessus. On peut également le servir sur des purées de légumes (le plat le plus classique : œufs mollets sur épinards), le préparer en gelée *(voir recette p. 134)* ou en sauce (tomate, béchamel, etc.).

L'œuf dur est complètement coagulé, blanc et jaune. Il cuit, à l'eau chaude ou froide, pendant 10 minutes. Lui aussi peut se présenter en gelée ou sur des purées de légumes. Il est classique également de le faire entrer dans de très nombreuses salades : tomates, laitues, poissons frais, etc. On peut le farcir, plus habituellement en se servant du jaune écrasé avec divers ingrédients *(voir recette p. 131)*, l'accompagner de sauces diverses (légères dans le cas présent). L'œuf dur passé à la moulinette rend plus agréables à la fois à l'œil et au goût des salades, des potages, des légumes (recettes « à la polonaise » ou « mimosa »). Enfin, le jaune d'œuf dur (et non cru) est l'une des bases des mayonnaises légères.

L'œuf poché, lui aussi, cuit à l'eau, mais sans sa coquille. On le casse dans un bol ou une petite assiette avant de le faire glisser dans l'eau bouillante vinaigrée (le vinaigre accélère la coagulation du blanc). Dès que le blanc commence à coaguler on le ramène, doucement, autour du jaune qu'il doit envelopper totalement. Chaque œuf poché cuit 3 minutes. Puis on l'égoutte, on régularise les bords. Les œufs pochés se préparent ensuite comme les œufs mollets. On peut aussi les disposer dans le creux d'une tomate cuite au four, dans un fond d'artichaut ou dans la tête d'un gros champignon de couche. On peut enfin faire varier la saveur des œufs mollets en aromatisant différemment le milieu de cuisson (court-bouillon, aides culinaires, herbes, etc.).

)es œufs durs farcis

la basquaise

Pour chaque œuf dur

g de thon au naturel, 1/2 cuillerée à café de moutarde, quelques
iilles de persil, sel, poivre.

Passer le thon à la moulinette. Hacher le persil. Écraser le jaune à la fourchette, ajouter la moutarde, le persil haché, le thon. Bien mélanger pour obtenir une pâte homogène. Garnir les blancs avec le mélange. Servir sur des feuilles de laitue.

la niçoise

Pour chaque œuf dur

2 filet d'anchois, 1/2 cuillerée à café de concentré de tomates,
elques feuilles de persil, sel et poivre.

Écraser le filet d'anchois. Ajouter le concentré de tomates, puis le jaune d'œuf dur. Saler et poivrer. Bien mélanger. Remplir les blancs. Saupoudrer de persil haché. Servir sur des tranches de tomates.

la ciboulette

Pour chaque œuf dur

brins de ciboulette, 1 cuillerée à soupe de fromage à 0 % de matières
asses, sel et poivre.

Battre le fromage blanc. Hacher la ciboulette. Écraser les jaunes d'œufs. Saler, poivrer. Ajouter peu à peu le fromage blanc. Terminer par la ciboulette. Remplir les blancs de cette farce. Servir sur des feuilles de laitue.

u roquefort

Pour chaque œuf dur

g de roquefort, 1 cuillerée à soupe de fromage à 0 % de matières
asses, 1/4 de cuillerée à café de moutarde, sel et poivre.

Battre le fromage blanc. Écraser les jaunes d'œufs durs et le roquefort à la fourchette. Ajouter la moutarde. Saler, poivrer. Ajout peu à peu le fromage blanc. Remplir les blancs avec cette far Servir avec de jeunes branches tendres de céleri.

Aux crevettes

Pour chaque œuf dur

4 crevettes décortiquées, 1 cuillerée à soupe de fromage à 0 % matières grasses, sel, poivre et paprika.

- Hacher 3 des crevettes. Ajouter les jaunes d'œufs durs écras puis le fromage blanc battu. Saler, poivrer, ajouter une bon pincée de paprika. Remplir les blancs avec cette préparatic Décorer avec la dernière crevette.

Chacun de ces œufs durs représe l'équivalent de 50 g de viande. Si vo régime est très strict, évitez l'œuf roquefort, plus gras.

Eufs à la tripe

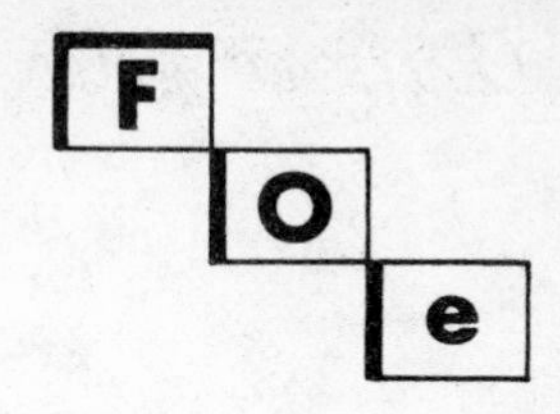

Pour 4 personnes

6 œufs
3 oignons
g de beurre ou de margarine
1 cuillerée à soupe rase de farine
0,200 l de lait demi-écrémé
sel, poivre

Préparation : 15 minutes
Cuisson : 30 minutes au total

Faire durcir les œufs. Passer sous l'eau froide. Décoquiller.

Éplucher et laver les oignons. Les émincer. Les faire revenir dans le corps gras. Saupoudrer de farine. Verser le lait et laisser épaissir sans cesser de tourner. Saler, poivrer.

Couper les œufs en tranches. Disposer dans un plat à four. Verser la sauce aux oignons par-dessus.

Faire gratiner pendant un quart d'heure environ.

Franchement, cela ne fait pas beaucoup d'amidon pour chacun : 1 cuillerée à soupe divisée par quatre! Par contre, il faut tenir compte du corps gras.

Œufs en gelée

F

Pour 4 personnes

4 œufs
12 ou 16 feuilles d'estragon
1 sachet de préparation pour gelée

Préparation : 30 à 40 minutes (la veille)

- Faire cuire les œufs mollets, durs ou pochés *. Préparer la ge comme indiqué sur le mode d'emploi. Tenir au chaud.
- Verser 1/2 centimètre de liquide dans le fond de 4 ramequi Mettre 10 minutes au réfrigérateur.
- Tremper les feuilles d'estragon dans la gelée. Disposer en m sur le fond des ramequins. Verser une très mince couche de gel Remettre 5 minutes au réfrigérateur.
- Déposer un œuf dans chaque ramequin. Remplir avec le rest de la gelée. Mettre au réfrigérateur.
- Démouler en plongeant les ramequins 1 à 2 secondes dans l'eau bouillante.

VARIANTES

— On peut remplacer l'estragon par une mince rondelle truffe.

— On peut ajouter un losange de jambon par-dessus l'estrag (au démoulage l'estragon se détachera sur le jambon).

— On peut ajouter à la gelée 2 cuillerées à soupe de coulis tomates. Dans ce cas, mettre un peu moins d'eau pour délayer poudre.

* *C'est plus facile avec des œufs durs, c'est plus fin avec des œufs pochés.*

Une préparation qui fait beaucoup d'e et que l'on peut préparer la veille. C' utile quand on reçoit.

Œufs mollets à la choucroute

Pour 4 personnes

6 œufs
500 g de choucroute au naturel
0,750 l de lait demi-écrémé
2 cuillerées à soupe rases de fécule de pomme de terre
40 g de gruyère râpé
sel, poivre, noix muscade

Préparation : 15 minutes
Cuisson : 20 minutes

Faire cuire les œufs mollets *(voir p. 130)*.

Délayer la farine dans une petite quantité de lait froid.

Mettre le restant du lait à bouillir. Y verser la fécule délayée. Faire épaissir sans cesser de tourner. Saler, poivrer. Râper un peu de noix muscade.

Rincer et égoutter la choucroute. La disposer au fond d'un plat à four à revêtement antiadhésif. Répartir les œufs mollets par-dessus. Recouvrir de sauce. Saupoudrer de gruyère râpé.

Mettre au four pendant une quinzaine de minutes. Servir aussitôt.

La choucroute au naturel n'est absolument pas grasse. Dans les préparations classiques, c'est le saindoux où on la fait cuire et la charcuterie qui l'accompagne qui apportent les lipides. Le gruyère râpé, par contre, n'est pas totalement neutre sur ce plan. Ne dépassez pas la quantité indiquée.

Œufs pochés à la florentine

Pour 4 personnes

5 œufs
800 g d'épinards surgelés
0,200 l de lait demi-écrémé
sel, poivre, noix muscade

Préparation : 20 minutes
Cuisson : 30 minutes au total

- Faire cuire les épinards comme indiqué sur le mode d'empl
Égoutter au maximum. Remettre à chauffer.
- Battre 1 œuf dans le lait froid. Ajouter aux épinards. Lais
cuire quelques minutes de manière à obtenir une préparati
homogène. Saler, poivrer. Râper un peu de noix muscade. Te
au chaud.
- Faire pocher les 4 œufs restants.
- Verser les épinards dans un plat ou dans 4 petits plats individu
Disposer les œufs pochés par-dessus. Servir aussitôt.

VARIANTES

On peut aussi servir des œufs pochés :
— sur une ratatouille bien épicée *(voir p. 220)* ;
— sur des courgettes *(voir p. 232)*.

**Si vous prévoyez 2 œufs par perso
vous aurez un plat garni (viande +
gumes).**

les œufs au plat

Classiquement, on les fait cuire dans une petite quantité de beurre, margarine ou d'huile. Lorsqu'on économise les corps gras, il faut ›pter une autre méthode.

L'œuf au plat à l'eau

On le prépare dans un plat à œuf individuel de la manière vante :

Chauffer le plat à œuf. Y verser une bonne cuillerée à soupe d'eau chaude. Dès qu'elle bout, y verser l'œuf cassé. Saler, poivrer et laisser cuire comme on le fait dans un corps gras. Il y a un coup de main, ou plus exactement un coup d'œil, à acquérir pour juger du moment exact où l'eau est à point pour que l'on y casse l'œuf. (Elle s'évaporera pendant que le blanc coagulera, et une fois coagulé il ne risquera plus d'attacher.) Mais on acquiert vite ce coup d'œil.

L'utilisation d'un plat recouvert de P.T.F.E.

Théoriquement, dès qu'il est chaud, on peut y casser directement uf à cuire. En fait, ce n'est pas toujours suffisant. Mieux vaut : t utiliser la méthode précédente (on met ainsi toutes les chances son côté); soit graisser très légèrement le plat, un peu comme on ait pour une poêle à crêpes. (Personnellement, je passe sur le fond plat chaud un mini-cube de lard piqué au bout d'une fourchette.)

Les œufs au plat se mangent nature ou recouverts de sauce tomate, ketchup, etc. Comme pour les œufs à la coque, attention au pain : l'on a si facilement tendance à tremper dans le jaune!

VARIANTES

Faire cuire les œufs dans une poêle (recouverte de P.T.F.E.), ıon dans un plat, et les servir sur ou à côté d'un légume : laitue isée, ratatouille, épinards en branches, brocolis, tomates, etc., encore sur un steak haché grillé (hamburger, œuf à cheval).

Œufs cocotte aux champignons

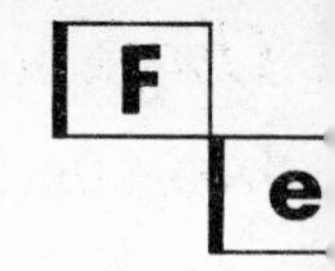

Pour 4 personnes
4 œufs 1/2 citron
150 g de champignons de couche 20 g de beurre ou de margarin
persil, sel, poivre

Préparation : 15 minutes
Cuisson : 25 minutes

- Couper le pied terreux des champignons. Essuyer ceux-ci. L arroser de jus de citron.
- Faire étuver pendant 10 minutes dans le corps gras. Hach saler, poivrer. Ajouter un peu de persil haché. Répartir au fo de petits ramequins.
- Casser un œuf dans chaque ramequin. Faire cuire au bain-ma au four pendant 10 minutes. Saler le dessus des œufs. Saupoudr à volonté de persil haché.

Dans un régime très strict, ou si l' préfère réserver le corps gras à autre préparation, faire étuver les cha pignons dans un peu de bouillon citron

Œufs cocotte aux pointes d'asperges

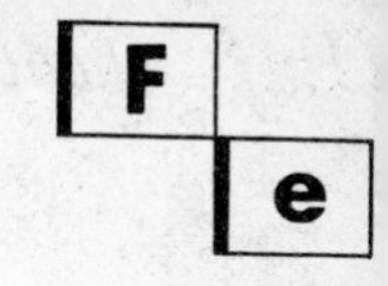

Pour 4 personnes

4 œufs
200 g de pointes d'asperges *
ou de mini-asperges
4 cuillerées à café de crème fraîche
sel, poivre

Préparation : 10 minutes
Cuisson : 10 minutes

- Saler, poivrer la crème.
- Répartir les pointes d'asperges au fond de 4 ramequins. Verser par-dessus 1 cuillerée à café de crème épicée. Casser un œuf sur l'ensemble.
- Mettre à cuire au bain-marie au four pendant 10 minutes.
- Saler, poivrer. Servir aussitôt.

* *Restant d'une préparation précédente ou en conserve.*

1 seule cuillerée à café de crème fraîche par personne, c'est véniel... si elle ne se renouvelle pas plusieurs fois au cours de la journée.

Œufs cocotte à l'estragon

F

Pour 4 personnes

4 œufs	5 ou 6 branches d'estragon
3 cuillerées à soupe de fromage à 0 % de m.g.	1 verre de bouillon *
	sel, poivre

Préparation : 15 minutes
Cuisson : 10 minutes

- Réserver une branche d'estragon. Mettre les autres à infuser dans le bouillon chaud pendant 15 minutes environ.
- Battre le fromage blanc. Lui incorporer 4 ou 5 cuillerées à soupe de bouillon à l'estragon. Saler et poivrer légèrement. Répartir dans le fond des ramequins. Casser un œuf par-dessus.
- Mettre à cuire au bain-marie au four pendant 10 minutes.
- Saupoudrer d'un peu d'estragon haché.

VARIANTES

On peut préparer de la même façon des œufs cocotte au basilic.

* *Préparé à l'aide d'une tablette ou restant d'une préparation de la veille.*

La recette classique est à base de crème fraîche — beaucoup de crème fraîche. Si votre régime à vous n'est pas trop strict, ajoutez une cuillerée à café par personne, mais une seule.

Œufs brouillés au cerfeuil

Pour 4 personnes

8 œufs
4 cuillerées à soupe de fromage à 0 % de m.g.
2 cuillerées à soupe de lait demi écrémé
1 poignée de cerfeuil
sel, poivre

Préparation : 10 minutes
Cuisson : 15 minutes

- Battre le fromage blanc au batteur avec le lait jusqu'à obtention d'un mélange onctueux et crémeux.
- Battre les œufs en omelette au fouet à main ou à la fourchette. Saler, poivrer. Ajouter le mélange précédent toujours en fouettant.
- Faire cuire à feu doux dans une casserole à revêtement antiadhésif sans cesser de remuer. Le mélange doit prendre peu à peu et rester très crémeux.
- Lorsqu'il est pratiquement cuit, retirer du feu. Ajouter le cerfeuil haché. Remuer encore pendant quelques secondes.
- Servir aussitôt en coupelles individuelles.

VARIANTES

Les œufs brouillés à l'estragon, à la ciboulette, au basilic, etc.

On ne peut pas prévoir 1 œuf par personne lorsqu'on prépare des œufs brouillés où l'on ne dispose que d'une très petite portion. Mais 2 œufs, c'est l'équivalent d'un petit bifteck.

Œufs brouillés aux langoustines

Pour 4 personnes

8 œufs
12 langoustines décortiquées
persil, sel, poivre
1 cuillerée à soupe de crème fraîche
1 petit verre de cognac

Préparation : 20 minutes (1 heure à l'avance)
Cuisson : 20 minutes

- Mettre les langoustines à mariner dans le cognac pendant 1 heure. Égoutter très soigneusement.
- Battre les œufs en omelette au fouet à main. Ajouter les queues de langoustines, le persil haché, la crème fraîche. Saler, poivrer.
- Mettre à cuire au bain-marie sans cesser de remuer à la fourchette pour que le mélange reste très moelleux.

2 œufs + 3 langoustines = 1 bifteck. C'est peut-être faux en arithmétique. En diététique, c'est vrai.

Œufs brouillés aux truffes

Pour 4 personnes

8 œufs	25 g de beurre
1 cuillerée à café de pelures de truffes	4 rondelles de truffes
	sel, poivre

Préparation : 5 minutes
Cuisson : 15 minutes

- Battre les œufs en omelette au fouet à main. Ajouter les pelures de truffes et le beurre divisé en petits morceaux. Saler, poivrer.
- Mettre à cuire au bain-marie sans cesser de remuer.
- Répartir le mélange bien crémeux dans des petites coupes individuelles. Décorer le dessus avec une rondelle de truffe.

Les truffes et même les pelures de truffes sont hors de prix. Si vous avez acheté (ou reçu) une truffe, faites-la servir deux fois :
1. En la mettant pendant 24 heures dans une boîte hermétique avec des œufs destinés à la préparation d'œufs brouillés ou d'une omelette. Ils s'imprégneront du parfum de la truffe.
2. Vous l'utiliserez par ailleurs pour truffer une volaille ou toute autre préparation.

Omelette à l'oseille **F**

Pour 4 personnes

6 œufs — 10 g de beurre ou de margarine
150 g d'oseille — sel, poivre

Préparation : 20 minutes
Cuisson : 15 minutes

- Éplucher, laver et blanchir l'oseille pendant 5 minutes à l'eau bouillante. Égoutter très soigneusement. Hacher.
- Battre les œufs à la fourchette. Saler, poivrer. Ajouter l'oseille hachée et les 10 g de corps gras fondus dans une poêle à revêtement antiadhésif.
- Reverser le mélange dans la poêle chaude. Faire cuire comme indiqué p. 145.

VARIANTES

On prépare de la même façon (ingrédients hachés ajoutés aux œufs battus) les omelettes aux fines herbes, au jambon, au blanc de poulet, au thon haché, etc.

Même si vous utilisez 2 œufs par personne, il n'est pas nécessaire d'utiliser davantage de corps gras.

Omelette au crabe

Pour 4 personnes

6 œufs	20 g de beurre ou de margarine
1 petite boîte de crabe	1/2 cuillerée à café de curry
3 ou 4 brins de ciboulette	sel, poivre

Préparation : 20 minutes
Cuisson : 15 minutes au total

- Égoutter le crabe. L'émietter en retirant au fur et à mesure les cartilages.
- Faire fondre doucement le corps gras dans une poêle à revêtement antiadhésif. Y verser le crabe. Saler, poivrer. Chauffer lentement. Ajouter le curry et la ciboulette hachée. Verser dans un plat. Tenir au chaud.
- Battre les œufs à la fourchette. Saler, poivrer. Verser dans la poêle où a déjà cuit le crabe et qui reste suffisamment graissée.
- Lorsque le bord commence à sécher et à faire des bulles, ramener vers le centre avec une spatule ou une cuiller en bois, tout en remuant la poêle avec l'autre main.
- Quand l'omelette est cuite (encore crémeuse en son milieu), retirer du feu. Verser le crabe au centre. Replier. Faire glisser sur un plat.

VARIANTES

Vous pouvez préparer de la même façon des omelettes fourrées aux oignons, aux champignons, à la ratatouille, aux crevettes, aux rognons, aux foies de volaille, aux moules.

Elle est relativement grasse (pour la ligne) cette omelette. Mais œufs et crabe sont moins gras que le bœuf. Au total, ce plat a la valeur nutritive d'une grillade. Et cela change!

Omelette aux girolles

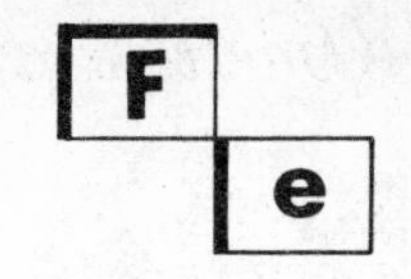

Pour 4 personnes

6 œufs — 25 g de beurre ou de margarine
250 g de girolles — 2 ou 3 brins de ciboulette
sel, poivre

Préparation : 15 minutes
Cuisson : 15 minutes au total

- Nettoyer les girolles. Les couper en morceaux. Faire étuver doucement à la poêle dans le corps gras pendant une dizaine de minutes.
- Battre les œufs en omelette. Saler. Poivrer. Ajouter la ciboulette hachée et les girolles étuvées. Mélanger.
- Reverser le tout dans la poêle chaude. Laisser cuire sans cesser de remuer la poêle pour que l'omelette n'attache pas. Plier en deux et servir aussitôt.

En cas de régime très strict, faites étuver les girolles dans une poêle, couvertes avec 1 ou 2 cuillerées à soupe de bouillon.

Omelette soufflée

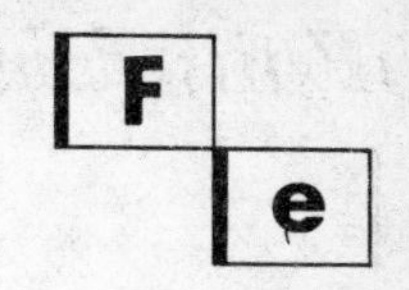

Pour 4 personnes

6 œufs 20 g de beurre ou de margarine
2 cuillerées à soupe de lait demi-écrémé
sel, poivre

Préparation : 20 minutes
Cuisson : 15 minutes environ

- Casser les œufs en séparant les blancs des jaunes. Battre les jaunes à la fourchette avec le lait, saler légèrement. Poivrer. Saler légèrement les blancs. Les battre en neige très ferme. Mélanger soigneusement blancs et jaunes.
- Faire fondre le corps gras dans une poêle à revêtement antiadhésif. Y verser les œufs. Faire cuire l'omelette en remuant sans arrêt la poêle d'avant en arrière. Laisser gonfler et dorer. Renverser sur un plat.

N.B. : Si vous ne disposez pas d'une poêle assez grande, faites 2 omelettes à la suite (après avoir fait le mélange). 6 œufs, c'est le maximum pour une omelette soufflée.

VARIANTES

Vous pouvez fourrer ou parfumer une omelette soufflée avec les mêmes denrées que les omelettes courantes. Étant donné le volume vous pouvez :

— n'utiliser que 4 œufs si vous employez par ailleurs un aliment protéique : jambon, moules, crevettes;

— préparer 2 omelettes.

C'est une préparation délicate. Mais elle prouve bien qu'un régime n'est pas une punition.

Petits flans au jambon

Pour 4 personnes

0,500 l de lait demi-écrémé
4 œufs
2 tranches de jambon
1 cuillerée à café d'huile
sel, poivre, noix muscade

Préparation : 10 minutes
Cuisson : 30 minutes

- Mettre le lait à bouillir.
- Battre les œufs en omelette. Saler. Poivrer. Ajouter un peu de noix muscade râpée.
- Oter le gras du jambon. Hacher très finement. Ajouter au mélange précédent.
- Verser le lait bouillant petit à petit sur les œufs et le jambon. Mélanger. Répartir dans des petits ramequins aux parois légèrement huilées.
- Mettre à cuire au bain-marie, à four chaud, pendant 30 minutes.
- Servir nature dans les ramequins ou démoulés, avec une sauce tomate *(voir p. 254)*.

Si vous préférez préparer un seul flan plus important, ajoutez un 5e œuf.

des viandes et des abats

Un bon tiers. C'est ce que représentent les viandes dans le budget .limentaire des Français. La plupart sont, en effet, des aliments hers. Il faut donc savoir les choisir et les utiliser au mieux. Il est on aussi d'apprendre à les remplacer par des aliments de même aleur nutritive souvent beaucoup moins coûteux, tels la plupart des olailles et des produits de la mer dont nous parlerons dans les chaitres suivants.

A ceux qui surveillent leur poids, la question se pose de la même açon ni plus, ni moins. Car, dans leurs menus, les modifications orteront surtout sur les autres types d'aliments : moins de farineux, e corps gras et d'aliments sucrés, un peu plus de légumes verts et e laitages maigres. Par ailleurs, répétons-le, viande ne signifie pas niquement bifteck; supprimer ragoûts et sauces grasses ne veut as dire s'abonner aux seuls morceaux à griller et rôtir. Les cuissons ntes (braisés, cuissons à l'eau) permettent de réaliser de savoureuses réparations. Et si vous manquez de temps, leur durée classique peut tre divisée par trois grâce à l'utilisation d'un autocuiseur, pratique résentant par ailleurs l'avantage d'économiser l'énergie. Les recettes -dessous sont les recettes classiques. Vous trouverez plus haut *voir p. 56)* la bonne façon d'utiliser un autocuiseur. Vous trouverez galement des conseils utiles dans le livret de recettes, habituellement ien faites, qui accompagne la plupart des autocuiseurs actuellement ans le commerce.

Bœuf à la ficelle

Pour 4 à 6 personnes
1 kg de faux filet   1 carotte
1 oignon moyen
bouquet garni, sel, poivre, clous de girofle

Préparation : 10 minutes
Cuisson : 30 minutes environ

- Éplucher et laver les légumes. Couper la carotte en rondelles piquer l'oignon de clous de girofle.
- Mettre les légumes à bouillir avec le bouquet garni, du poivr moulu et un peu de gros sel dans 2 litres d'eau. Laisser bouill 5 minutes.
- Ficeler le morceau de faux filet, mais ne pas le barder. Laisse libre un morceau de ficelle de 30 cm environ.
- Plonger la viande dans l'eau bouillante. Attacher la ficelle l'une des anses du récipient. Couvrir. Laisser cuire pendant 20 25 minutes. La viande doit être aussi saignante qu'un rosbi
- Retirer à l'aide de la ficelle. Découper. Disposer sur un pla Entourer de légumes verts cuits à l'eau ou à la vapeur. Accom pagner d'oignons et de cornichons au vinaigre ou d'une sauc relevée (anchoïade, tartare, à l'échalote, aux poivrons, etc. [*vo recettes p. 245 et suivantes*]).

Rien à voir avec un pot-au-feu. Et c faux rôti permet de mettre un peu plu de beurre sur les légumes.

Bœuf gros sel

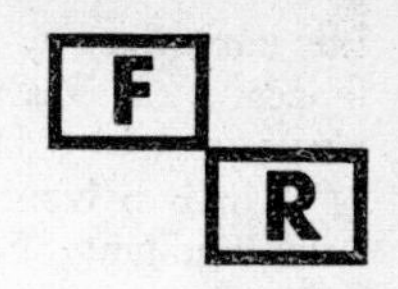

Pour 4 personnes

750 à 800 g de plat de côtes	4 petits navets
750 à 800 g de gîte	6 poireaux moyens
1 os à moelle	1 gros oignon
6 grosses carottes	1 branche de céleri

bouquet garni, clous de girofle, gros sel, poivre en grains

Préparation : 20 minutes
Cuisson : 3 h 30

Accompagnements

gros sel, moutardes variées, cornichons

Mettre à bouillir 3 litres d'eau froide avec 3 cuillerées à café de gros sel, le bouquet garni et quelques grains de poivre.

Éplucher et laver les légumes. Couper les carottes en quatre dans le sens de la longueur, les navets en deux. Ficeler soigneusement les poireaux. Piquer 2 ou 3 clous de girofle dans l'oignon. Mettre tous ces légumes dans l'eau bouillante.

Ficeler séparément les morceaux de viande. Plonger dans l'eau bouillante. Laisser repartir l'ébullition. Écumer. Couvrir. Laisser bouillir tout doucement pendant 2 heures en continuant à écumer régulièrement.

Ajouter l'os à moelle frotté de gros sel (pour retenir la moelle à l'intérieur de l'os). Laisser cuire encore pendant 1 heure.

Égoutter la viande. Déficeler. Découper. Disposer sur un plat. Entourer des légumes bien égouttés.

Servir avec un assortiment de moutardes, du gros sel, des cornichons.

emarques :

Il faut choisir :
Un bon bouillon se prépare en mettant la viande à l'eau froide.

Elle laisse ainsi les éléments gustatifs (on dit techniquement les « subs tances extractives ») et un certain nombre d'éléments nutritifs solu bles se répandre dans le bouillon. Elle-même reste fade.

Un bon bœuf gros sel se prépare en plongeant la viande dan l'eau bouillante. Elle coagule en surface et garde tout son goût. Cett méthode, préférable, n'empêche d'ailleurs pas d'utiliser le bouillo *(voir « consommé à la tomate » p. 88)*.

Une cuisson : deux usages. Multipliez par deux les quantité de gîte ou ajoutez un morceau de macreuse ou de jumeau. Mette cette viande de côté, sans la découper. Vous la servirez en salad *(voir p. 125)* ou, tout simplement, froide avec des cornichons.

Les pommes de terre ? De toute faço on n'en met jamais dans un pot-au-feu elles rendent le bouillon trouble. « les autres » en désirent, servez-l à part, cuites à la vapeur.

Tournedos flambés au poivre vert

Pour 4 personnes

4 tournedos de 150 g chacun
0,100 l de rhum
1 petite boîte de poivre vert
2 cuillerées à soupe de crème fraîche
1 cuillerée à café d'huile, sel

Préparation : 15 minutes
Cuisson : 10 à 20 minutes, suivant le goût

Huiler et chauffer une poêle à revêtement antiadhésif. Y faire cuire les tournedos pendant 8 à 15 minutes suivant le goût. Saler.

Saupoudrer avec le poivre vert bien égoutté et grossièrement haché. Arroser avec le rhum. Flamber.

Disposer sur un plat chaud.

Verser la crème dans la poêle. Remuer. Amener à ébullition. Arroser les tournedos et servir bien chaud.

Le rhum, flambé, ne laisse que son parfum. Reste la crème : mais la portion reste raisonnable.

Entrecôte à la moelle

F

Pour 4 personnes

2 entrecôtes de 400 g chacune
50 g environ de moelle de bœuf
2 échalotes
1 verre de bouillon *
2 cuillerées à soupe de vinaigre
1 cuillerée à soupe de concentr
de tomates
1 cuillerée à soupe de farine
1 cuillerée à café d'huile
persil, estragon, sel, poivre

Préparation : 10 minutes
Cuisson : 5 minutes environ

- Couper la moelle en rondelles. Mettre celles-ci dans une mouss line et plonger 1 minute dans de l'eau bouillante salée. Retire Tenir au chaud.
- Éplucher, laver, hacher les échalotes. Les mettre dans une casserol avec le vinaigre et 2 ou 3 feuilles d'estragon. Laisser réduire c moitié. Saupoudrer de farine. Mouiller avec le bouillon. Remue Laisser épaissir. Ajouter le concentré de tomates. Saler, poivre
- Faire griller les entrecôtes légèrement huilées 2 à 3 minutes d chaque côté suivant le goût. Disposer dans un plat chaud. Répart les rondelles de moelle par-dessus. Arroser de sauce et saupoudr de persil haché.

* *Préparé éventuellement avec une tablette.*

Pour graisser (légèrement) les entr côtes avec si peu d'huile, tartiner a pinceau le dessus de l'une d'elles avec l moitié du corps gras. Poser l'aut entrecôte par-dessus et tirer comm pour « essuyer » la première. Procéd de même avec l'autre côté.

Bœuf à l'estouffade

F R e

Pour 4 à 6 personnes

1,500 kg de bœuf (culotte, macreuse ou aiguillette)	2 petites laitues
500 g de carottes	2 ou 3 couennes bien minces
500 g de tomates	1 cuillerée à soupe d'huile
2 oignons moyens	1 verre de bouillon *
250 g de navets	1 verre de vin blanc sec
	thym, romarin, persil, sel, poivre

Préparation : 40 minutes
Cuisson : 3 heures

- Éplucher et laver les légumes. Couper les carottes et les navets en rondelles. Émincer les oignons. Couper les tomates en quartiers. Ficeler les laitues.
- Faire dorer les oignons à la poêle dans l'huile. Ajouter le bœuf. Le faire revenir de tous les côtés.
- Tapisser le fond d'une cocotte avec les couennes. Disposer par-dessus la viande entourée des oignons et des autres légumes. Saupoudrer de thym et de romarin émiettés. Saler, poivrer. Couvrir.
- Mettre la cocotte dans le four. Laisser cuire pendant 3 heures à four doux.
- Découper la viande et la servir entourée de ses légumes saupoudrés de persil haché.

VARIANTES

Ne mettez pas de tomates ni de laitue et ajoutez un pied de veau à la préparation.
Vous pourrez préparer du bœuf en gelée :
Découpez le bœuf à la fin de la cuisson. Entourez des rondelles de carottes et de navets. Arroser avec le jus passé au chinois. Laisser refroidir.

* *Éventuellement préparé au moyen d'une tablette.*

En mettant la cocotte dans le four, vous l'entourez de chaleur de tous les côtés, comme on entourait autrefois la braisière... de braise. La cuisson est bien plus régulière. En outre la préparation ne risque pas d'attacher.

Côte de bœuf grillée

Pour 4 personnes

1 côte de 1 à 1,200 kg (avec l'os)
4 tomates
1 petite botte de cresson
1 gousse d'ail
1 cuillerée à soupe d'huile
sel, poivre

Préparation : 10 minutes
Cuisson : 15 à 20 minutes, suivant le goût

- Poivrer la côte sur les deux côtés. L'enduire d'huile et la laisser attendre un quart d'heure environ.
- Laver les tomates. Les couper en deux. Les saler, les poser sur un papier absorbant. Éplucher, laver et égoutter le cresson. Éplucher et hacher la gousse d'ail.
- Faire cuire la côte de bœuf sur un gril très chaud pendant 10 minutes environ de chaque côté. Lors du retournement, mettre les tomates à griller (5 minutes de chaque côté).
- Découper la côte en tranches. Entourer avec les tomates saupoudrées d'ail haché et le cresson.

Pour utiliser moitié moins d'huile, mélanger celle-ci au poivre concassé dans un petit récipient. Et tartinez la côte de bœuf avec le mélange.

Noisettes de veau à l'orange

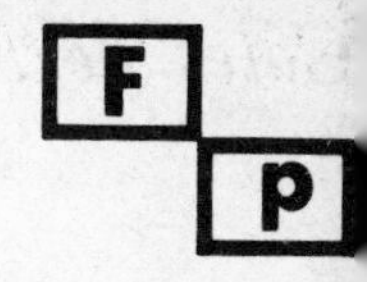

Pour 4 personnes

4 noisettes (morceaux de filet mignon) de 125 g environ
3 oranges
1 citron
1 oignon moyen
1 verre de bouillon *
1 cuillerée à soupe d'huile d'olive
basilic, sel, poivre

Préparation : 10 minutes + marinade = 2 heures
Cuisson : 25 minutes

- Presser le jus du citron et celui d'une des oranges. Saler, poivrer. Ajouter le basilic coupé aux ciseaux. Mettre les noisettes de veau à mariner dans ce mélange pendant 2 heures.
- Au bout de ce temps, retirer les noisettes de la marinade. Les sécher sur un papier absorbant. Les faire dorer des deux côtés dans l'huile d'olive. Ajouter la marinade passée au chinois. Couvrir. Laisser mijoter 20 minutes.
- A mi-cuisson, ajouter les tranches des deux oranges restantes bien épluchées et 1 cuillerée à café de zeste d'orange haché. Mouiller si nécessaire avec un peu de bouillon.
- Disposer les noisettes sur un plat. Entourer avec les oranges. Rectifier l'assaisonnement de la sauce si nécessaire. Passer et verser sur la viande.

* *Éventuellement préparé avec une tablette.*

Pas de fruit à ce même repas : il est déjà mangé.

Côtes de veau Esterel

Pour 4 personnes

4 côtes de veau de 180 g environ 2 échalotes
1 citron 1 tablette de bouillon de volaille
thym, romarin, sel, poivre

Préparation : 10 minutes
Cuisson : 40 minutes

- Couper le citron en minces rondelles. En tapisser le fond d'un plat à four à revêtement antiadhésif. Disposer par-dessus les côtes de veau.
- Éplucher et hacher les échalotes. Les disposer sur les côtes de veau. Saupoudrer de thym et de romarin effeuillés.
- Dissoudre la tablette de bouillon dans un verre d'eau bouillante. En arroser le plat. Faire cuire à four chaud pendant 40 minutes.
- Rectifier l'assaisonnement en fin de cuisson. Disposer les côtelettes sur un plat. Arroser avec la sauce.
- Servir accompagné de haricots verts ou de carottes vapeur ou de laitue braisée.

Lorsque la viande s'y prête (viandes blanches), le citron constitue un bon moyen de remplacer le corps-gras-qui-empêche-d'attacher. Essayez le poulet au citron.

Rôti de veau à la cannelle

Pour 4 à 6 personnes

1,250 kg de noix de veau	1/2 verre de rhum
2 petits oignons	1 sachet de caramel liquide
1 orange	1 cuillerée à café de cannelle
1 citron	1 cuillerée à soupe d'huile

sel, poivre

Préparation : 25 minutes
Cuisson : 1 h 30

- Saupoudrer la viande avec la moitié de la cannelle et du poivre fraîchement moulu. Arroser avec la moitié du rhum. Laisser macérer au frais pendant une dizaine d'heures (la veille au soir pour le repas de midi, ou le matin pour le repas du soir).
- Égoutter sur un papier absorbant. Éplucher, laver et émincer les oignons. Les faire fondre dans l'huile. Faire dorer le veau sur toutes ses faces. Flamber avec le rhum restant. Saler, poivrer. Couvrir et laisser cuire à feu doux pendant 1 heure environ.
- Presser l'orange et le citron. Saler et poivrer le mélange des deux jus. Ajouter le restant de la cannelle et le sachet de caramel.
- Verser le mélange sur le veau. Laisser cuire encore une demi-heure.
- Servir le veau coupé en tranches, avec la sauce passée à part.

Sur le plan de l'apport calorique, le caramel liquide tout prêt est beaucoup plus avantageux que celui que vous feriez vous-même. La sauce contient 2 à 3 g de sucre par personne.

Veau au curry

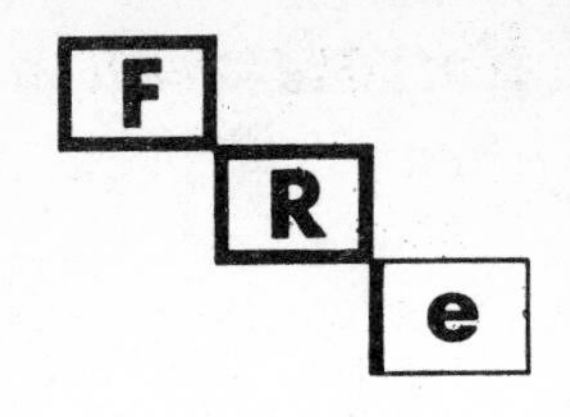

Pour 4 personnes

1,200 kg de jarret de veau	1 verre de vin blanc sec
4 échalotes	2 cuillerées à soupe d'huile
500 g de carottes	2 cuillerées à café de curry
300 g de tomates	bouquet garni, sel

Préparation : 20 minutes
Cuisson : 1 h 45

- Détailler le jarret de veau en morceaux. Éplucher et hacher grossièrement les échalotes. Éplucher carottes et tomates. Couper les premières en rondelles et les secondes en quartiers.
- Faire revenir les morceaux de veau dans l'huile dans une sauteuse à revêtement antiadhésif. Ajouter les tomates, les carottes, le bouquet garni et le vin blanc sec. Saler. Couvrir. Laisser mijoter pendant 1 h 30 environ en surveillant la cuisson. Ajouter si nécessaire un peu d'eau chaude.
- Délayer le curry dans une petite quantité de jus de cuisson. Ajouter à la préparation. Laisser cuire encore 5 à 10 minutes. Servir bien chaud.

L'emploi de légumes qui rendent de l'eau comme les tomates et, à un moindre degré, les carottes, permet d'utiliser peu de corps gras.

Blanquette de veau à la moderne 

Pour 4 personnes

1,250 kg (avec os) de tendron ou jarret de veau	2 jaunes d'œufs
12 petits oignons	1 citron
125 g de champignons de couche	1 cuillerée à soupe de vinaigre
	1 carotte

bouquet garni, sel, poivre

Préparation : 15 minutes
Cuisson : 1 h 45

- Frotter les morceaux de veau avec le citron.
- Éplucher et laver la carotte et les petits oignons. Couper la carotte en rondelles.
- Dans un fait-tout, mettre les morceaux de viande, les rondelles de carottes, les petits oignons et le bouquet garni. Recouvrir d'eau froide. Ajouter le vinaigre et le jus du citron. Saler, poivrer.
- Porter à ébullition. Écumer. Couvrir à demi. Laisser mijoter pendant une heure à feu doux en écumant régulièrement tant que c'est nécessaire.
- Couper le pied sableux des champignons. Laver ceux-ci rapidement. Les émincer. Les ajouter à la blanquette. Couvrir. Laisser mijoter encore une vingtaine de minutes.
- Retirer du feu. Oter le bouquet garni. Mettre viande, oignons et champignons au chaud dans une assiette. Passer le jus. En conserver 1/2 l. Le remettre dans le fait-tout.
  Par ailleurs, délayer les deux jaunes d'œufs dans un peu de liquide de cuisson froid en battant au fouet. Verser dans le fait-tout. Remuer. Laisser épaissir quelques instants sans bouillir. Ajouter viande, oignons et champignons. Chauffer 1 ou 2 minutes et servir. Accompagner d'épinards en branches.

Tous les livres de cuisine parlent de blanquette « à l'ancienne » où la sauce est liée à la crème fraîche. Modernisons, en allégeant.
Si vous tenez à la crème vous pouvez :
— supprimer les jaunes d'œufs et les remplacer par 2 cuillerées à soupe de crème;
— ou lier avec 1 seul jaune d'œuf et 1 cuillerée à soupe de crème fraîche.

Épaule d'agneau farcie aux épinards

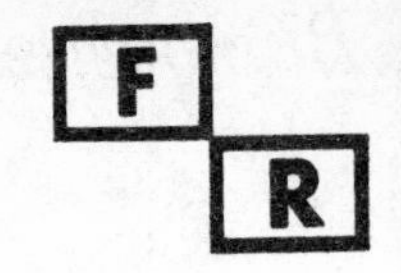

Pour 6 personnes

1 kg d'épaule désossée	1 petite tasse de lait demi-écrémé
600 g d'épinards surgelés	1 œuf
1 petite tasse de mie de pain rassis	sel, poivre, noix muscade

Préparation : 30 minutes
Cuisson : 45 minutes

- Mettre la mie de pain à tremper dans le lait.
- Faire cuire les épinards comme indiqué sur le mode d'emploi Bien les égoutter.
- Presser le pain trempé pour en exprimer l'excès de liquide.
- Mélanger les épinards, le pain, l'œuf. Bien mélanger. Saler, poivrer. Râper un peu de noix muscade. Déposer cette farce sur la face interne de l'épaule désossée et dégraissée au maximum. Rouler soigneusement. Ficeler. Badigeonner d'huile. Saler et poivrer la surface. Poser sur une feuille d'aluminium ménager pliée en U. Disposer dans un plat à four.
- Faire cuire à four assez chaud pendant 45 minutes. Bien égoutter. Servir chaud ou froid. La présentation est meilleure dans le second cas. Accompagner alors d'une crème d'ail ou d'une sauce mousseline froide.

Ne gardez pas le jus de cuisson : il est surtout constitué de la graisse que vous n'avez pu retirer.

Carré d'agneau en persillade

Pour 4 personnes

1 carré d'agneau de 4 doubles côtes
1 gousse d'ail
1 petit bouquet de persil
1 cuillerée à soupe de chapelure
1 cuillerée à café d'huile
sel, poivre

Préparation : 10 minutes
Cuisson : 15 minutes

- Faire dorer le carré des deux côtés, sur feu vif, dans une poêle à revêtement antiadhésif.
- Éplucher et hacher l'ail. Laver, sécher et hacher le persil. Mélanger avec la chapelure, du sel et du poivre. Égoutter le carré sur un papier absorbant.
- Tartiner le carré avec le mélange ail, persil, chapelure en appuyant pour qu'il adhère bien.
- Terminer la cuisson à four très chaud pendant une dizaine de minutes.

Non seulement le carré d'agneau dore dans la poêle, mais il rend aussi de la graisse que vous pouvez éliminer. Et en quantités plus importantes que vous n'en avez utilisé pour graisser la poêle.

Boulettes d'agneau à la diable

Pour 4 personnes

600 g d'épaule d'agneau désossée 100 g de crépine de porc
1 oignon moyen 1 jaune d'œuf
sel, poivre, Cayenne

Préparation : 20 minutes
Cuisson : 15 minutes

- Mettre la crépine à tremper dans de l'eau froide.
- Retirer un maximum de gras et hacher la viande.
- Éplucher, laver et hacher très finement l'oignon. L'ajouter à la viande ainsi que le jaune d'œuf. Saler, poivrer. Ajouter une bonne pincée de poivre de Cayenne. Bien mélanger.
- Faire quatre boulettes du mélange. Les enrouler dans un morceau de crépine.
- Faire cuire sur un gril bien chaud 7 à 8 minutes de chaque côté.

VARIANTES

Préparer des boulettes plus petites et les faire cuire en brochettes.

Le jaune d'œuf sert à lier le mélange. La crépine le maintient en forme. Vous pouvez utiliser la même méthode avec des restes de viande rouge.

Grillades d'agneau à la menthe

Pour 4 personnes

4 tranches de gigot de 125 à 150 g
1 petit bouquet de menthe fraîche
1 cuillerée à soupe de cassonade
2 cuillerées à soupe de vinaigre
1 cuillerée à café d'huile
sel, poivre

Préparation : 10 minutes
Cuisson : 10 minutes

- Mettre dans une casserole la cassonade, 2 verres d'eau, le vinaigre, du sel et du poivre. Porter à ébullition et laisser réduire d'un bon tiers. Ajouter les feuilles de menthe grossièrement hachées. Mélanger. Retirer du feu.
- Mélanger l'huile et une cuillerée à soupe de la sauce à la menthe. En badigeonner les tranches de viande.
- Mettre à griller pendant une dizaine de minutes en retournant à mi-cuisson.
- Pendant ce temps, passer la sauce au chinois. La tenir au chaud.
- Dresser les grillades sur un plat et servir la sauce à part.

L'ajout de sauce liquide, mais adhérant bien à la viande permet de n'utiliser que très peu d'huile.

Brochettes d'agneau flambées

Pour 6 personnes

1 épaule d'agneau pas trop grosse
1 botte de petits oignons
3 citrons verts
1 citron
1 cuillerée à soupe d'huile d'olive
0,100 l de rhum, cognac ou vodka
sel, poivre

Préparation : 30 minutes + marinade : 1 heure
Cuisson : 10 minutes

- Couper l'épaule en gros cubes en éliminant le gras au maximum. Mettre les morceaux dans un saladier avec un citron vert coupé en tranches minces, le jus du citron, l'huile, du sel et du poivre. Laisser macérer pendant une heure.
- Éplucher et laver les petits oignons. Les mettre dans une sauteuse. Recouvrir d'eau. Saler. Laisser cuire doucement jusqu'à ce qu'ils deviennent transparents, tout en restant fermes.
- Couper en tranches les citrons verts restants.
- Égoutter les morceaux d'agneau au maximum. Préparer des brochettes : 1 rondelle de citron, 1 morceau d'agneau, 1 petit oignon... en terminant par 1 rondelle de citron.
- Faire cuire au gril ou sur le barbecue pendant 10 minutes en retournant souvent.
- Disposer sur un plat chaud et supportant la chaleur. Arroser avec le rhum (ou l'alcool choisi). Flamber. Servir aussitôt.

L'emploi d'une marinade permet très souvent d'utiliser beaucoup moins de corps gras lors de la préparation finale.

Gigot à l'anglaise

Pour 4 à 6 personnes

1,500 kg de gigot d'agneau
1 cuillerée à soupe de poivre concassé
1 cuillerée à soupe de gingembre râpé
1 branche de thym
1 cuillerée à café d'origan séché
1 cuillerée à soupe de gros sel

Préparation : 10 minutes
Cuisson : 45 minutes

- Mélanger poivre concassé, thym effeuillé, gingembre râpé et origan séché. Frotter la surface du gigot avec ce mélange en s'efforçant de le faire adhérer au maximum. Entourer le gigot d'une mousseline. Laisser reposer pendant 1 heure.
- Mettre 2 litres d'eau à bouillir avec le gros sel.
- Poser le gigot toujours enveloppé de sa mousseline dans une cocotte assez grande pour le contenir tout allongé. Recouvrir d'eau bouillante salée. Couvrir la cocotte. Faire cuire à feu moyen pendant 45 minutes.
- Débarrasser de la mousseline. Découper comme un gigot rôti. Accompagner d'une purée de légumes ou d'une sauce crème d'ail.

Ce n'est pas un gigot rôti, d'accord. Mais si vous ne le saviez pas, vous ne devineriez jamais qu'il a cuit à l'eau, sans un gramme de graisse.

Chachlik

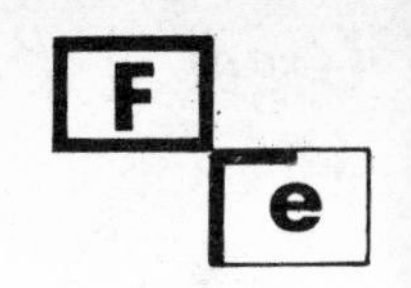

Pour 4 personnes

400 g (sans os) d'épaule de mouton	2 cuillerées à soupe d'huile
4 rognons de mouton	1 citron
	thym, laurier, sel, poivre

Préparation : 10 minutes + marinade : 2 heures
Cuisson : 15 minutes

- Retirer la pellicule qui entoure les rognons. Ouvrir. Oter les nerfs, les vaisseaux et déchets qui se trouvent à l'intérieur. Couper chaque moitié en deux. Couper l'épaule d'agneau en cubes.
- Mettre les morceaux de viande et de rognons dans un plat creux. Arroser avec l'huile et le jus du citron. Saler, poivrer. Ajouter le thym émietté et la feuille de laurier coupée en petits morceaux. Laisser mariner pendant 2 heures.
- Égoutter sur un papier absorbant. Préparer des brochettes en faisant alterner morceaux de viande et morceaux de rognons.
- Faire cuire sur le gril ou sur le barbecue pendant une dizaine de minutes en retournant souvent.

L'emploi de papier absorbant permet d'éliminer l'excédent de corps gras.

Brochettes mélangées

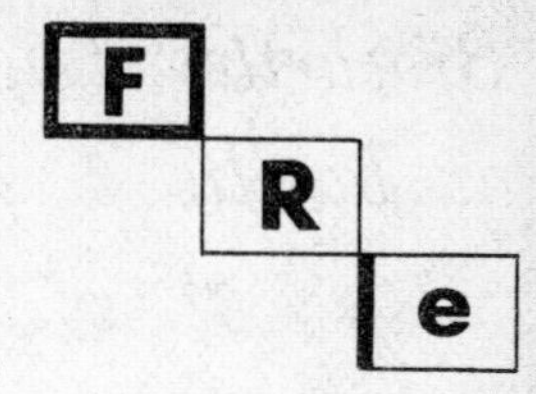

Pour 4 personnes

4 côtelettes d'agneau	4 petits oignons
4 chipolatas	4 feuilles de laurier
8 rognons d'agneau	1 cuillerée à soupe d'huile
4 petites tomates	sel, poivre

Préparation : 10 minutes
Cuisson : 10 à 15 minutes

- Faire cuire à demi les chipolatas sur la grille du four pendant 5 minutes. Les sécher sur un papier absorbant.
- Nettoyer les rognons. Oter les déchets. Couper en deux. Laver les tomates. Eplucher et laver les oignons.
- Préparer des brochettes : 1 tomate, 1 morceau de laurier, 1 chipolata, 1 morceau de laurier, 1/2 rognon, 1 morceau de laurier, 1 côte d'agneau, 1 morceau de laurier, 1 morceau de rognon, 1 petit oignon. Saler et poivrer. Badigeonner légèrement d'huile.
- Faire griller sur un gril bien chaud ou sur un barbecue pendant une dizaine de minutes en retournant plusieurs fois.

Les chipolatas, c'est le petit grain de folie de ces brochettes. Éliminez bien la graisse fondue lors de leur cuisson.

Brochettes d'agneau au basilic

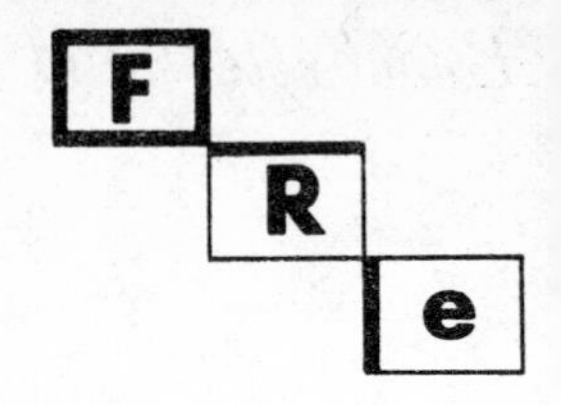

Pour 4 personnes

800 g (sans os) d'épaule d'agneau
8 petites tomates
4 champignons de couche moyens
2 branches de basilic
2 branches de thym
1 cuillerée à soupe d'huile
sel, poivre

Préparation : 10 minutes
Cuisson : 15 minutes

- Couper la viande en gros cubes en éliminant le gras au maximum.
- Laver et essuyer les tomates. Oter le pied sableux des champignons. Essuyer ces derniers. Séparer soigneusement chapeaux et pieds.
- Préparer des brochettes : 1 pied de champignon, 1 morceau de viande, 1 tomate, 1 morceau de viande, 1 chapeau de champignon, 1 morceau de viande, 1 tomate. Badigeonner d'huile. Rouler dans un mélange de basilic coupé aux ciseaux et de thym effeuillé. Saler et poivrer.
- Faire griller sur un gril bien chaud ou un barbecue pendant 15 minutes en retournant plusieurs fois.

La présentation sous forme de brochettes a un avantage : la graisse de constitution fond mieux puisque la viande est plus divisée et elle s'égoutte également mieux.

Rôti de porc aux choux

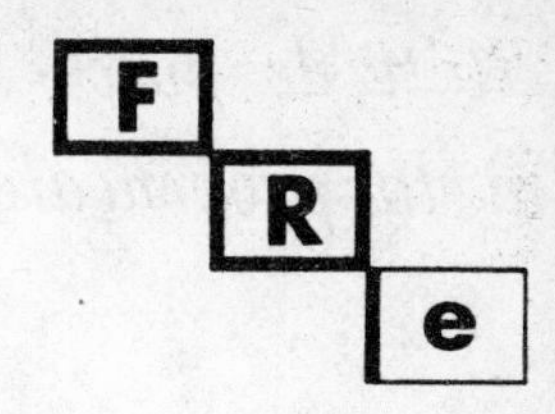

Pour 4 à 6 personnes

1,200 kg de filet de porc — 2 oignons
1 chou vert moyen — 2 cuillerées à soupe d'huile
4 carottes
bouquet garni, clous de girofle, sel, poivre

Préparation : 20 minutes
Cuisson : 1 h 30

- Éplucher et laver les légumes. Couper les carottes en rondelles et les oignons en quartiers. Couper le chou en quatre. L'ébouillanter.
- Faire chauffer l'huile dans une cocotte à revêtement antiadhésif. Y faire revenir le rôti sur toutes ses faces. Ajouter les légumes, le bouquet garni, du sel, du poivre en grains et des clous de girofle. Arroser avec 1/2 verre d'eau bouillante. Couvrir. Laisser mijoter pendant 1 h 30 en arrosant légèrement si nécessaire.
- Servir le rôti entouré de ses légumes. Accompagner de moutardes diverses.

C'est une version maigre de la potée. Un exemple que vous pourrez peut-être adapter à d'autres préparations.

Rôti de porc à la provençale

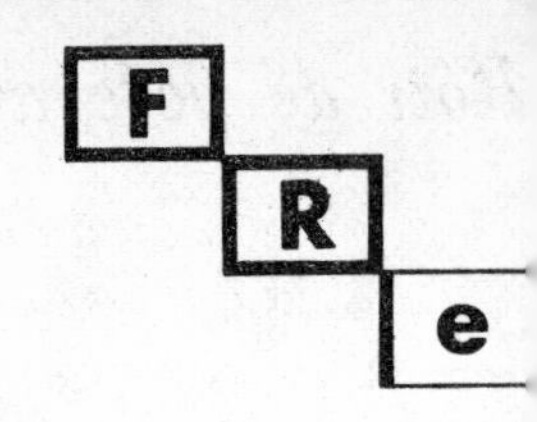

Pour 4 à 6 personnes

- 1,200 kg de filet de porc
- 4 tomates
- 2 poivrons verts moyens
- 3 oignons moyens
- 2 bulbes moyens de fenouils
- 2 gousses d'ail
- 1 cuillerée à soupe d'huile d'olive
- 1 branche de thym
- sel, poivre

Préparation : 20 minutes
Cuisson : 1 h 15

- Éplucher et laver les légumes. Couper les tomates en quartiers, les poivrons épépinés en rondelles fines, les fenouils en fines tranches et émincer les oignons.
- Disposer ces légumes dans un plat à four à revêtement intérieur antiadhésif. Poser le rôti par-dessus. Saupoudrer d'ail haché, de thym effeuillé, de sel et de poivre moulu. Arroser les légumes avec l'huile d'olive. Couvrir d'aluminium ménager.
- Faire cuire à four moyen pendant 1 h 15. Retirer l'aluminium 15 minutes avant la fin de la cuisson.

La durée de la cuisson est conditionnée non seulement par le poids, mais par le calibre d'un rôti. Préférez un rôti pas trop large. L'aluminium ménager ralentit en effet légèrement la cuisson dans le même temps qu'il protège de la chaleur

Côtes de porc au chile

Pour 4 personnes

4 côtes de porc bien maigres
1 petite boîte de concentré de tomates
4 gousses d'ail
1 cuillerée à soupe de chile
2 cuillerées à café d'huile d'olive
persil, sel

Préparation : 15 minutes
Cuisson : 10 minutes

- Éplucher les gousses d'ail et les piler au mortier. Laver, sécher et hacher le persil.
- Mélanger concentré de tomates, huile d'olive, ail pilé, persil haché, chile, sel et poivre. Délayer avec le minimum d'eau pour obtenir une pâte assez lisse.
- Oter tout le gras possible des côtes de porc. Les tartiner avec la pâte ci-dessus. Placer sur une assiette et laisser en attente pendant 1 heure.
- Faire cuire au gril 5 à 6 minutes de chaque côté.
- Accompagner de tomates au four, de ratatouille, d'épinards en branches.

En mélangeant l'huile à une pâte parfumée on en utilise deux fois moins.

Rôti de porc à l'orange

F p e

Pour 4 à 6 personnes

1,200 kg de filet de porc	1 oignon
4 oranges	1 cuillerée à soupe d'huile
2 carottes	sel, poivre, paprika

Préparation : 10 minutes
Cuisson : 1 h 15

- Éplucher les légumes. Couper les carottes en rondelles. Émincer les oignons.
- Éplucher les oranges. Hacher le zeste de l'une d'entre elles. Couper les fruits à vif en recueillant le jus. Graisser un plat à four à revêtement intérieur antiadhésif. Y déposer le rôti. Entourer des légumes et des morceaux d'orange. Arroser avec le jus des fruits salé, poivré et additionné de paprika.
- Faire cuire à four moyen pendant 1 h 15 en arrosant souvent.

Les fruits juteux et le jus des fruits permettent de ne presque pas employer de corps gras. Mais il ne faut pas oublier qu'on a aussi mangé un fruit ou presque.

Brochettes de porc à l'ananas

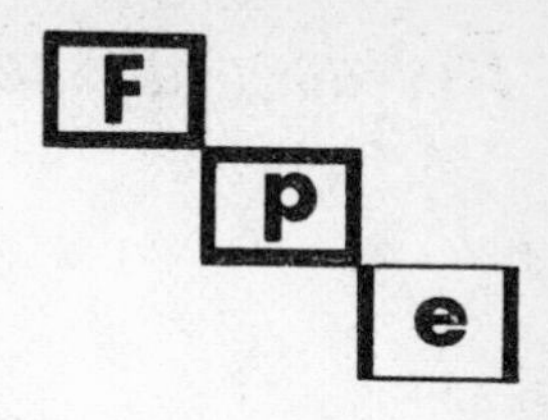

Pour 4 personnes

500 g de filet de porc
4 tranches d'ananas en boîte
1 petit poivron vert
1 cuillerée à soupe d'huile
sel, poivre, paprika

Préparation : 15 minutes + marinade : 3 heures
Cuisson : 15 minutes

- Égoutter les tranches d'ananas. Mettre le jus dans un plat creux avec l'huile, du sel, du poivre moulu et du paprika.
- Couper la viande en morceaux. Mettre à mariner dans le liquide ci-dessus pendant 3 heures.
- Égoutter et composer des brochettes : 1 morceau de poivron, 1 morceau de viande, 1 morceau d'ananas, 1 morceau de viande, 1 morceau de poivron...
- Badigeonner avec un peu de marinade. Faire griller sur gril bien chaud ou sur un barbecue pendant 15 minutes en tournant souvent.

Accompagnez vos brochettes d'une salade de votre choix. Car le fruit du menu est déjà dans les brochettes — cuit.

Ris de veau en cocotte

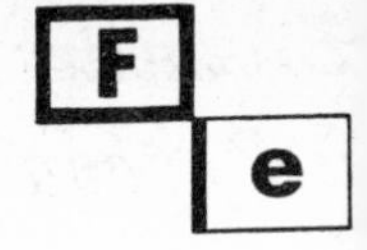

Pour 4 personnes

600 g de ris de veau
3 carottes moyennes
12 oignons grelots
20 g de beurre
1 petit verre de rhum
1 cuillerée à soupe de crème fraîche
1/2 cuillerée à café de cannelle
sel, poivre

Préparation : 30 minutes
Cuisson : 35 minutes

- Faire dégorger les ris de veau dans de l'eau froide pendant 2 heures en renouvelant l'eau plusieurs fois. Égoutter. Ébouillanter 5 minutes à l'eau bouillante légèrement salée. Égoutter. Rafraîchir à l'eau froide. Enlever les parties nerveuses et la peau fine qui les recouvre. Bien essuyer sur un linge fin ou un papier absorbant.
- Éplucher et laver les légumes. Couper les carottes en petits cubes.
- Mettre le beurre à fondre dans une cocotte à revêtement intérieur antiadhésif. Y faire revenir les ris de veau sur toutes leurs faces pendant quelques minutes. Ajouter les carottes et les petits oignons. Laisser mijoter à feu très doux pendant une dizaine de minutes. Saler, poivrer.
- Arroser avec le rhum. Flamber. Couvrir et laisser cuire doucement pendant 20 à 25 minutes en surveillant la cuisson.
- Au moment de servir, ajouter la crème additionnée d'un peu de cannelle. Bien mélanger. Servir aussitôt.

N'oubliez pas qu'il y a dans ce plat non seulement la crème, mais aussi 5 g de beurre par portion. Pour certains c'est la moitié des possibilités de la journée.

Cervelles aux câpres

Pour 4 personnes

4 cervelles d'agneau * | 1 citron 1/2
1 carotte | 20 g de beurre
1 oignon | 2 cuillerées à soupe de câpres
1 verre de vin blanc sec | 1 branche d'estragon
clous de girofle, bouquet garni, sel, poivre

Préparation : 15 minutes
Cuisson : 20 minutes

- Faire dégorger les cervelles pendant une demi-heure dans un saladier d'eau froide additionnée d'une cuillerée à soupe de vinaigre (sauf s'il s'agit de cervelles surgelées).
- Éplucher et laver les légumes. Piquer l'oignon d'un ou deux clous de girofle. Couper la carotte en rondelles.
- Préparer un court-bouillon avec l'oignon, les rondelles de carotte, le bouquet garni, le vin blanc sec, le demi-citron, du sel et quelques grains de poivre. Porter à ébullition. Faire bouillir 5 minutes. Puis laisser frémir.
- Égoutter les cervelles qui ont dégorgé. Oter les membranes qui les entourent. Plonger dans le court-bouillon (les cervelles surgelées s'y plongent directement). Laisser cuire à tout petit feu, sans jamais bouillir, pendant 20 minutes. Écumer si nécessaire.
- Dans une petite casserole, faire fondre le beurre. Ajouter le jus du citron et un demi-verre de court-bouillon. Fouetter. Hors du feu, ajouter l'estragon haché et les câpres.
- Disposer les cervelles dans un plat. Arroser de sauce aux câpres.

* *Éventuellement surgelées.*

Votre régime est très strict? Alors, vous avez deux possibilités :
— ne mettre que 10 g de beurre dans la sauce et ajouter 1 ou 2 cuillerées à soupe de court-bouillon;
— vous contenter de la sauce qui recouvre la cervelle que vous prenez dans le plat sans plus.

Rôti de foie d'agneau

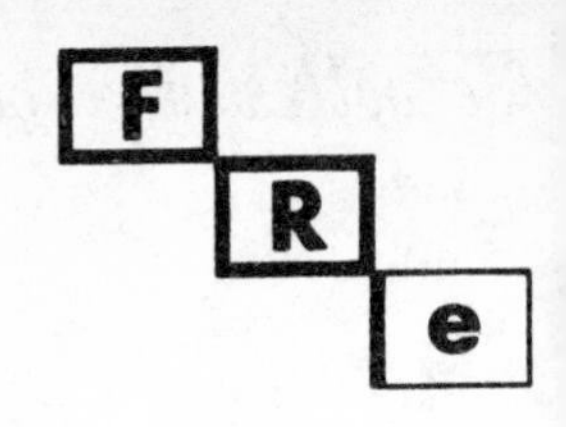

Pour 4 personnes

600 g de foie d'agneau	1 petite laitue
1 botte de petits oignons	100 g de crépine de porc
6 petits poireaux	20 g de beurre
4 carottes moyennes	sel, poivre concassé

Préparation : 20 minutes
Cuisson : 35 minutes environ au total

- Mettre la crépine à tremper dans de l'eau froide.
- Éplucher et laver les légumes. Couper les carottes en julienne et émincer le blanc des poireaux. Ficeler les feuilles de laitue en quatre petits paquets.
- Faire fondre le beurre dans une cocotte à revêtement antiadhésif. Y faire étuver les blancs de poireaux, les petits oignons, les carottes et les laitues, à feu doux pendant une quinzaine de minutes.
- Saupoudrer le foie de poivre concassé. L'entourer de la crépine. Déposer sur les légumes. Saler. Si nécessaire, ajouter une ou deux cuillerées à soupe d'eau chaude. Couvrir la cocotte. Laisser mijoter pendant 20 minutes environ à feu doux (le foie doit être encore rose).
- Retirer la crépine. Découper le foie en tranches assez épaisses. Servir sur assiettes individuelles entouré des légumes.

Il est possible de ne pas utiliser de corps gras du tout : faites étuver les légumes dans un peu de bouillon de volaille.

Foie de veau à l'aigre-doux

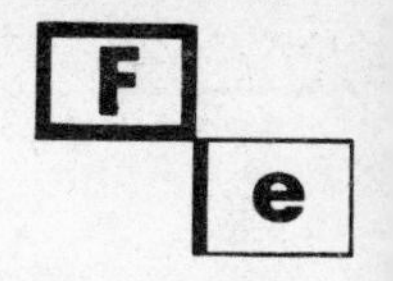

Pour 4 personnes

4 tranches de 150 g de foie de veau
1/2 verre de bouillon *
1 sachet de caramel liquide
3 cuillerées à soupe de farine
20 g de beurre ou margarine
2 cuillerées à soupe de vinaigre
4 cornichons moyens
sel, poivre

Préparation : 10 minutes
Cuisson : 10 minutes

- Fariner les tranches de foie. Les secouer et les sécher au maximum sur du papier absorbant.
- Dans une poêle à fond antiadhésif, faire fondre le beurre. Ajouter le caramel liquide et le bouillon. Laisser réduire d'un tiers.
- Y faire cuire le foie des deux côtés pendant 7 à 8 minutes au total. Disposer sur un plat au chaud. Saler, poivrer.
- Verser le vinaigre dans la poêle. Gratter à la spatule en bois pour bien mélanger au milieu de cuisson précédent. Ajouter les cornichons hachés. Laisser prendre un bouillon. Verser brûlant sur les tranches de foie.

* *Préparé éventuellement au moyen d'une tablette.*

La farine sèche la surface humide du foie et évite les projections. En terminant le séchage sur un papier absorbant vous en retirez la majeure partie.

des volailles et du gibier

Maigres, plus maigres que la plupart des viandes, meilleur marché aussi bien souvent, les produits de la basse-cour et de la chasse sont l'un des atouts de la cuisine allégée. Mais leur préparation ne va pas sans quelques problèmes.

Parce que leur chair contient peu de graisse, la plupart de ceux que nous pouvons consommer largement seraient bien secs dans notre assiette s'ils n'étaient classiquement cuisinés avec d'assez importantes quantités de corps gras. Des corps gras qui, par ailleurs, protègent également la peau, lui évitant de brûler et d'éclater sous l'action de la chaleur.

La cuisine allégée a donc ses astuces.

La première est une résurrection : c'est la *cuisson à la broche* que permettent les fours et rôtissoires actuels, puisque presque tous sont munis de cet accessoire. On enduit de corps gras la surface de la volaille à rôtir, c'est vrai. Mais le jus s'écoule sans arrêt, n'imprégnant pas la chair. Par ailleurs la partie exposée à la chaleur n'étant pas toujours la même, on peut utiliser très peu de corps gras sans craindre de brûlure superficielle. Ceux qui ont, quelque jour, attrapé un cuisant coup de soleil dû à l'immobilité et à l'oubli de leur crème solaire comprendront le mécanisme.

Les autres astuces sont plus ou moins classiques :

— Emploi de farces à base de fromage blanc à 0 % de matières grasses pour donner, de l'intérieur, du moelleux à la chair. C'est une adaptation du petit-suisse que mettaient nos grand-mères dans l'abdomen des faisans non faisandés donc un peu durs ou des poulets plus tout à fait assez jeunes.

— Protection de la peau par de l'aluminium ménager. La cuisson est alors un petit peu plus longue et il est bon de retirer cette protection vers la fin de la cuisson pour que la pièce dore bien en surface.

— Arrêter le chauffage du four 5 bonnes minutes avant la fin de la cuisson et laisser la volaille à l'intérieur un peu plus longtemps que le temps normalement prévu. La chair devient plus moelleuse et le jus retenu entre chair et peau commence à s'écouler dans le plat de cuisson. En retournant la pièce dans tous les sens au-dessus de ce plat, on élimine un maximum de ce jus (lequel n'est d'ailleurs pas 100 % graisse).

Enfin, vous connaissez certainement ces deux astuces :

- ne pas se servir de jus : vous n'êtes pas seul(e) à table autour de la volaille et il n'est pas logique de priver les autres de cet accompagnement;
- laisser la peau sur le bord de son assiette. Elle a souvent (notamment dans le cas du canard) recueilli un excès de jus. Et mieux vaut passer pour un « difficile » que de risquer une remontée de la balance.

Un dernier mot : les poulets tout cuits du commerce sont cuits à la broche et le temps d'attente leur a permis d'éliminer une bonne partie de leur graisse. Alors, s'ils vous rendent service, n'hésitez pas. D'autant plus que rien ne vous oblige à en consommer la peau.

Faisan à la ciboulette

Pour 4 personnes

1 faisan (plumé) de 1 kg à 1,200 kg
100 g de fromage blanc à 0 % de m.g.
1 petit bouquet de ciboulette
1 échalote
1 cuillerée à soupe d'huile
1/2 verre de bouillon de volaille *
persil, sel, poivre

- Hacher à part la ciboulette et l'échalote. Mélanger au fromage blanc la moitié de la ciboulette et l'échalote hachée. Saler, poivrer. Bien mélanger. Introduire ce mélange à l'intérieur du faisan.
- Introduire entre chair et peau de petits brins de ciboulette. En mettre également entre les cuisses et le corps. Brider. Badigeonner la surface d'huile. Saler. Poivrer. Disposer dans un plat à four à revêtement antiadhésif. Couvrir d'aluminium ménager.
- Faire cuire à four chaud pendant 45 à 50 minutes, en retirant l'aluminium un quart d'heure avant la fin de la cuisson.
- Retirer le faisan du plat en l'égouttant au maximum. Tenir au chaud.
- Déglacer le fond du plat avec le bouillon chaud. Ajouter le restant de la ciboulette hachée et le persil haché.
- Découper le faisan et le dresser sur un plat. Ajouter au contenu du plat de cuisson le jus qui a pu couler au cours du découpage.
- Servir ce jus à part en saucière.
- Accompagner de choux de Bruxelles ou de brocolis cuits à l'anglaise.

* *Éventuellement préparé avec une tablette.*

Ce jus-là n'est pas bien gras (1/4 de cuillerée à soupe d'huile). Servez-vous...

Pigeons aux morilles

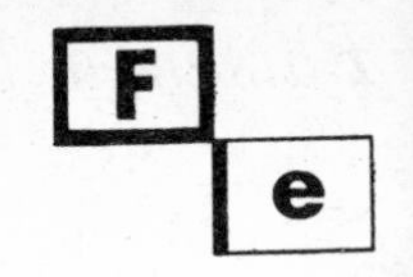

Pour 4 personnes

4 pigeons moyens
250 g de morilles fraîches
0,250 l de bouillon de volaille
20 g de beurre
1/2 citron
1 cuillerée à soupe de fine champagne
1 cuillerée à soupe de crème fraîche
sel, poivre

Préparation : 15 minutes
Cuisson : 40 minutes

- Flamber les pigeons. Les saler et les poivrer intérieurement et extérieurement. Ficeler.
- Couper le pied terreux des morilles. Les laver soigneusement sous l'eau froide. (Attention! elles sont souvent très sableuses.) Égoutter et sécher au maximum sur un papier absorbant.
- Faire fondre le beurre dans une cocotte à revêtement antiadhésif. Y faire dorer les pigeons sur toutes leurs faces. Ajouter les morilles. Saler et poivrer. Arroser de jus de citron. Faire cuire doucement pendant 40 minutes en mouillant régulièrement avec un peu de bouillon. Il ne doit y avoir que très peu de sauce en fin de cuisson.
- Disposer les pigeons sur un plat. Entourer avec les morilles.
- Déglacer la cocotte avec la fine champagne et une ou deux cuillerées de bouillon. Ajouter la crème. Servir à part, en saucière.

Vous l'aviez deviné : vous vous servirez de sauce d'autant plus modestement que vos tendances à reprendre du poids sont plus marquées.

Perdreaux aux cèpes

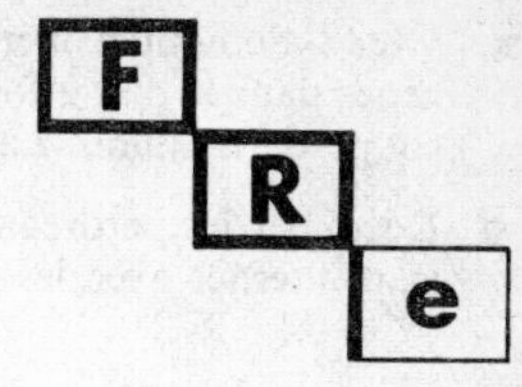

Pour 4 personnes

2 perdreaux	1 échalote
750 g de cèpes (pas trop gros)	1 petit oignon
250 g de foies de volaille	1 œuf
1 petite tasse de mie de pain rassis	3 cuillerées à soupe d'huile
1 tasse de lait demi-écrémé	persil, sel, poivre, noix muscade

Préparation : 25 minutes
Cuisson : 45 minutes

- Séparer la tête et le pied des cèpes. Essuyer soigneusement les têtes sans les laver. Oter la partie terreuse des pieds. Laver soigneusement. Sécher. Hacher assez fin.
- Mettre la mie de pain à tremper dans le lait.
- Éplucher, laver et hacher l'oignon et l'échalote.
- Vider et flamber les perdreaux en réservant les foies.
- Hacher ces foies avec les foies de volaille. Ajouter la mie de pain bien essorée, le hachis de pieds de cèpes, celui d'oignon et d'échalote et l'œuf. Saler, poivrer. Ajouter un peu de noix muscade râpée et le persil haché. Bien mélanger pour obtenir une farce homogène. Diviser celle-ci en deux. Farcir les perdreaux. Brider ceux-ci.
- Badigeonner d'huile. Déposer chaque perdreau dans un morceau d'aluminium ménager, mis lui-même dans une cocotte. Ne pas refermer complètement ce morceau d'aluminium qui protégera les perdreaux de l'excès de chaleur sans les empêcher de dorer. Laisser rôtir doucement pendant 30 minutes environ.
- Couper les chapeaux de cèpes en gros morceaux (4 environ par chapeau). Faire chauffer le restant de l'huile dans une poêle à revêtement antiadhésif. Y verser les cèpes. Les faire sauter en remuant souvent la poêle. Lorsqu'ils sont presque cuits, saler, poivrer, recouvrir de persil haché.

- Oter l'aluminium ménager qui entoure les perdreaux. Mettre les cèpes dans le plat à four. Ajouter, si nécessaire, 1 ou 2 cuillerées à soupe de bouillon. Laisser cuire encore 10 minutes.
- Découper les perdreaux et leur farce. Disposer sur un plat en faisant alterner avec les cèpes.

Il entre dans ce plat une quantité relativement importante de corps gras d'assaisonnement. Mais le perdreau n'est pas bien gras par lui-même et il s'agit d'un plat garni.

Pintadeau aux trois fruits

Pour 4 personnes

1 pintadeau de 1 à 1,200 kg
2 oranges
1 citron vert
150 g de reinettes
150 g de poires un peu dures
1 verre de bouillon *
25 g de beurre ou de margarine
sel, poivre, cumin, gingembre

Préparation : 20 minutes
Cuisson : 40 minutes

Presser une orange et le citron vert. Saler. Poivrer. Ajouter 1 cuillerée à café de grains de cumin et une pincée de gingembre. Badigeonner largement le pintadeau avec ce jus.

Faire dorer dans une cocotte de tous les côtés. Ajouter le bouillon et laisser mijoter pendant 30 minutes.

Retirer le pintadeau. Tenir au chaud.

Faire cuire rapidement pommes, poires et oranges épluchées et coupées en tranches.

Découper le pintadeau. Disposer sur un plat. Entourer des fruits.

Déglacer la sauce avec le jus restant du début de la préparation, rectifier l'assaisonnement si nécessaire. Servir à part, en saucière.

* *Éventuellement préparé au moyen d'une tablette.*

C'est un plat de viande, un fruit cuit et une portion de beurre. Et c'est très bon. Et puis vous pouvez toujours continuer par une salade tout T et un dessert tout O.

Caneton aux reinettes et au poivre vert

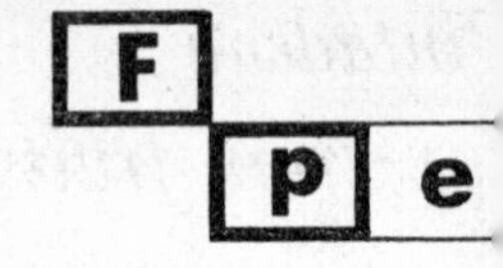

Pour 4 personnes

1 canard (rouennais si possible) de 1,500 kg
4 reinettes moyennes
1 verre de cidre
1 petit verre de calvados
quelques brins de ciboulette
1 cuillerée à soupe d'huile
1 cuillerée à soupe de poivre ve
sel, poivre

Préparation : 25 minutes
Cuisson : 45 minutes

- Vider et flamber le canard. Saler et poivrer l'intérieur. Bride Badigeonner d'huile, saler, poivrer. Piquer la peau à la fourchet en quelques endroits pour permettre au jus qui va se former s'écouler.

- Mettre dans un plat à four à revêtement antiadhésif. Faire cuire four chaud pendant 30 minutes environ. Égoutter le canard da le plat. Éliminer le jus. Remettre le canard dans le plat. Ajout les pommes épluchées, épépinées et coupées en tranches épaiss Faire cuire entre 15 à 20 minutes. Retirer canard et pommes. Ter au chaud.

- Déglacer avec le cidre. Ajouter le poivre vert et quelques bri de ciboulette hachés. Laisser mijoter quelques minutes. Flamb au calvados.

- Découper le canard. Le disposer sur un plat et l'entourer des po mes. Passer la sauce. La servir à part en saucière.

Elle n'est pas trop grasse, cette sau La majeure partie du jus a été élimi en cours de préparation. Mais vous a mangé un fruit : lui, il compte en enti

Poussin à la diable

F

Pour 4 personnes

2 petits poulets de grain dits « poussins »
8 citrons verts
1/2 botte de cresson
1 citron
1 cuillerée à café de moutarde forte
1 cuillerée à soupe d'huile
thym, romarin, sel, poivre, paprika

Préparation : 15 minutes + marinade : 2 heures
Cuisson : 10 minutes environ

Vider et flamber les poulets de grain. Oter les cous. Fendre par le dos sans séparer les deux moitiés. Aplatir au maximum (avec le rouleau à pâtisserie, par exemple).

Les mettre à mariner pendant 2 heures avec le jus des citrons verts, salé, poivré, additionné de paprika, de thym et de romarin effeuillés.

Laver et sécher le cresson.

Retirer les poussins de la marinade. Eponger sur du papier absorbant.

Badigeonner avec l'huile et la moutarde mélangées.

Faire griller à gril très chaud 5 minutes de chaque côté.

Servir entouré de petits bouquets de cresson et de tranches de citron.

Encore un exemple de badigeonnage où l'emploi d'une autre substance (ici, la moutarde) permet de n'utiliser que très peu d'huile.

Poulet au pastis

Pour 4 à 6 personnes

1 poulet prêt à cuire de 1,500 à 1,800 kg
2 têtes d'ail
2 cuillerées à soupe d'huile d'olive
1/2 cuillerée à café d'apéritif anis
fenouil, romarin, thym, sel, poivre

Préparation : 25 minutes
Cuisson : 1 h 15

- Effeuiller fenouil, thym et romarin.
- Saler et poivrer l'intérieur du poulet. Introduire une petite quanti des herbes citées. Brider le poulet.
- Verser les herbes restantes sur le fond d'un plat à four à revêtemer antiadhésif. Huiler la surface du poulet et déposer celui-ci pa dessus les herbes. L'entourer des gousses d'ail détachées les une des autres, mais non épluchées. Saler, poivrer. Recouvrir d'alum nium ménager. Mettre à cuire à four moyen pendant 45 minute
- Retirer l'ail et ajouter l'apéritif anisé. Couvrir encore d'aluminiu ménager. Remettre à cuire pendant 30 minutes. Retirer l'aluminiu ménager 10 minutes avant la fin de la cuisson pour que le poul finisse de dorer.
- Servir découpé accompagné d'une ratatouille.

En réalité, le goût dominant est celui fenouil, très proche de celui de l'an mais plus fin. C'est un moyen de donn du goût au poulet rôti, toujours un p fade.

Gigot de dinde à la dijonnaise

Pour 4 personnes

- 4 cuisses de dinde
- 100 g de fromage à 0 % de m.g.
- cuillerées à soupe de moutarde forte
- 1 cuillerée à soupe d'huile
- 1 cuillerée à café de maïzena
- 2 cuillerées à soupe de marc de Bourgogne
- sel, poivre

Préparation : 20 minutes
Cuisson : 25 minutes

Battre le fromage blanc pour le rendre bien onctueux. Lui incorporer peu à peu la moutarde et la maïzena. Saler, poivrer.

Tartiner les cuisses de dinde de ce mélange. Les déposer dans un plat à four à revêtement antiadhésif, légèrement huilé. Mettre à cuire à four chaud pendant 25 minutes en surveillant la cuisson.

10 minutes avant la fin de celle-ci, ajouter le marc de Bourgogne.

Servir les gigots de dinde arrosés de leur sauce accompagnés d'une jardinière de légumes, de crosnes ou de brocolis.

Vous pouvez préparer un lapin de la même façon.

Lapereau à l'ail

Pour 6 personnes

1 lapin moyen (de garenne ou de chou) *
8 gousses d'ail
1 verre de vin blanc sec
1 verre de bouillon assez relevé **
1 cuillerée à soupe d'huile
1 cuillerée à soupe de farine
1 pointe de couteau de safran
sarriette, bouquet garni, sel, poivre

Préparation : 15 minutes
Cuisson : 45 minutes

- Éplucher les gousses d'ail. Retirer le petit germe vert. Hach grossièrement.
- Faire revenir le lapin dans l'huile sur toutes ses faces dans u cocotte à revêtement antiadhésif. Saupoudrer de faine. Mouil avec le bouillon et le vin blanc. Ajouter l'ail haché, la sarriette le bouquet garni. Saler, poivrer. Couvrir. Laisser mijoter à f moyen pendant 30 à 35 minutes en surveillant la cuisson. Ajou si nécessaire un peu de bouillon.
- Retirer le bouquet garni. Disposer les morceaux de lapin dans plat creux. Recouvrir avec la sauce passée au chinois.
- Retirer le bouquet garni. Ajouter le safran. Laisser mijoter enco 5 à 10 minutes.
- Disposer les morceaux de lapin dans un plat creux. Recouv avec la sauce passée au chinois.

* *S'il s'agit d'un lapin de chou, le faire couper en morceaux par le volailler. Dépouil vider et détailler le garenne. Dans les deux cas, ne pas utiliser la tête.*
** *Éventuellement préparé avec une tablette.*

Une recette que vous pouvez adop également pour un gros poulet (plus 2 kg, prêt à cuire).

Lapin à la verveine

Pour 6 personnes

1 lapin de 1,600 kg environ *	4 sachets-doses de verveine
150 à 200 g de fromage à 0 % de m.g.	1 cuillerée à soupe d'huile
1/2 verre de lait demi-écrémé	1 cuillerée à soupe de maïzena
	sel, poivre

Préparation : 20 minutes
Cuisson : 1 h 15

Huiler le dessus du lapin. Le saupoudrer (intérieur et extérieur) avec le contenu de 2 sachets-doses de verveine. Saler. Poivrer. Entourer d'aluminium ménager. Mettre dans un plat à four avec 2 cuillerées à soupe d'eau.

Faire cuire à four chaud pendant 1 heure. Retirer l'aluminium et laisser cuire encore 15 à 20 minutes.

Délayer la maïzena dans le lait écrémé. Ajouter peu à peu au fromage blanc, tout en battant au fouet. Saler, poivrer. Ajouter le contenu des 2 sachets-doses restants. Faire épaissir doucement.

Présenter le lapin découpé en morceaux, accompagné de la sauce en saucière.

* *Faire préentailler au hachoir par le boucher ou le volailler. Le découpage final sera plus facile.*

1 cuillerée à soupe d'huile pour 6 personnes pour graisser le dessus du lapin, cela reste véniel.
Les lapins et les volailles, en général, gagnent toujours à être salés, poivrés et parfumés intérieurement autant qu'extérieurement.

des poissons et des fruits de mer

Dans beaucoup de familles françaises, le poisson est un grand délaissé. Est-ce là souvenir des carêmes et vendredis maigres d'antan? Ou conséquence de la réputation — injustifiée — selon laquelle il serait long et ennuyeux à préparer et d'odeur pénible durant sa cuisson? N'est-ce pas surtout une mauvaise connaissance des poissons et de toutes les possibilités qu'ils offrent?

Un poisson frais, nous l'avons vu, n'a pas d'odeur, ou plus exactement une odeur agréable d'algues et de marée.

Les opérations ennuyeuses ou délicates de la préparation (vider, écailler, lever les filets, etc.) peuvent toujours être demandées au poissonnier.

Quant aux possibilités d'accommodements, elles sont au moins aussi nombreuses que celles concernant la viande. Et, en ce qui concerne plus particulièrement la cuisine allégée, les poissons comptent parmi les aliments que l'on peut le mieux faire cuire à l'eau ou à la vapeur. Enfin, contrairement à une tradition bien établie, ils peuvent s'accompagner pratiquement de tous les légumes verts. Et non pas uniquement des sempiternelles et peu attrayantes pommes vapeur.

COURTS-BOUILLONS, CUISSONS A LA VAPEUR ET FUMETS

• Courts-bouillons

Le court-bouillon est l'une des préparations culinaires les plus simples mais aussi les plus délicates qui soient.

Simple, puisqu'il s'agit de plonger la pièce à cuire dans un liquide (eau le plus souvent) parfumé et diversement acidulé (vinaigre, jus de citron, vin blanc, etc.).

Délicate, parce que certains impératifs doivent être respectés :

— *La durée :* elle est brève par définition. Le poisson doit rester un peu ferme et légèrement rosé le long de l'arête centrale. On compte habituellement 8 à 10 minutes pour un poisson mince, et 10 à 15 minutes pour un poisson épais.

— *La température :* le liquide ne doit pas bouillir, mais simplement frémir. Seules exceptions :

. la *cuisson au bleu* réservée à certains poissons vivants (truites presque toujours). En réalité, on les prend par la queue et on les assomme sur une surface dure avant de les vider et de les plonger très vite dans un court-bouillon en ébullition;

. la *cuisson à la nage* des écrevisses, homards et langoustes. Eux aussi sont plongés vivants dans le liquide en ébullition.

Autre exception, d'un type différent : la cuisson des poissons destinés à être consommés froids. On les plonge dans le liquide frémissant, puis on cesse tout chauffage. Le poisson cuit tout en refroidissant dans le court-bouillon.

— *La quantité de liquide :* elle doit toujours être aussi peu importante : ce qu'il faut pour immerger le poisson à cuire, pas davantage.

● Court-bouillon type

Pour 2 l d'eau

2 oignons moyens piqués de clous de girofle, 1/2 citron, 1 cuillerée à soupe de vinaigre, 1 échalote, 1 bouquet garni, 1 cuillerée à soupe de gros sel, un peu de poivre moulu.

● Court-bouillon aux légumes

Pour 2 l d'eau

1 ognon piqué de 1 ou 2 clous de girofle, 3 poireaux, 2 carottes, 1 branche de céleri, 1 petit bouquet de persil, 1 branche de thym, 2 cuillerées à soupe de vinaigre, 1 cuillerée à soupe de gros sel, un peu de poivre moulu.

● Court-bouillon aux herbes

Pour 2 l d'eau

1 oignon piqué de 1 ou 2 clous de girofle, 2 poireaux, 1 branche de céleri, fenouil, menthe ou estragon, 1 petit bouquet de persil, 1 branche de thym, romarin ou sarriette, 1/2 citron, 1 cuillerée à soupe de gros sel, un peu de poivre moulu.

● Court-bouillon aux épices

Pour 2 l d'eau

1 oignon piqué de 1 ou 2 clous de girofle, une dizaine de grains de coriandre, 1 cuillerée à café de grains d'anis ou de cumin, noix muscade râpée, 1/2 citron, 1 cuillerée à soupe de gros sel, une dizaine de grains de poivre.

- **Court-bouillon au vinaigre**

Pour 2 l d'eau

1/2 verre de vinaigre de vin, 2 oignons piqués de clous de girofle, 1 ou 2 branches de persil, 1 bouquet garni, 1 cuillerée à soupe de gros sel, un peu de poivre moulu.

- **Court-bouillon au citron**

Pour 2 l d'eau

le jus de 2 citrons, 1/2 zeste, 1 oignon piqué de 1 ou 2 clous de girofle, 1 petit bouquet de persil, 1 branche de thym, quelques feuilles d'estragon, 1 cuillerée à soupe de gros sel, un peu de poivre moulu.

- **Court-bouillon au vin blanc**

Pour 1,5 l d'eau

0,500 l de vin blanc sec, 1 petit oignon piqué de 1 clou de girofle, 1 carotte, 1 branche de céleri, 2 ou 3 branches de persil, 1 branche de thym, quelques grains de coriandre, 1 cuillerée à soupe de gros sel, un peu de poivre moulu.

- **Court-bouillon au vin rouge**

Pour 2 l d'eau

0,250 l de vin rouge, 1/2 citron, 2 oignons piqués de 2 ou 3 clous de girofle, 1 échalote, 1 bouquet garni, cannelle en poudre, 1 cuillerée à soupe de gros sel, un peu de poivre moulu.

- **Court-bouillon au cidre**

Pour 1 l d'eau

1 l de cidre sec, 1 oignon moyen piqué de 1 clou de girofle, 1/2 citron, 2 ou 3 petits poireaux, 1 branche de céleri, 1 petit bouquet de persil, 1 cuillerée à soupe de gros sel, un peu de poivre moulu.

Il existe aussi des mélanges pour court-bouillon tout prêts en sachet. On peut les utiliser tels quels ou les agrémenter de diverses touches personnelles (addition de vin blanc, citron, légumes, etc.).

Quelle que soit la solution adoptée, le mélange doit bouillir 15 à 20 minutes puis tiédir légèrement avant que l'on y plonge le poisson.

Bien entendu ces recettes sont toutes susceptibles de modifications de détails suivant le goût de chacun. Et leur liste est loin d'être close. A vous de l'allonger.

• **Cuissons à la vapeur**

Les filets de poissons et les poissons minces cuisent très bien à la vapeur. Pour qu'ils soient suffisamment parfumés, diminuer de moitié les quantités d'eau indiquées ci-dessus pour les courts-bouillons. Et poser les pièces à cuire dans un petit panier métallique spécial au-dessus du liquide en ébullition.

Petit problème : le poisson qui cuit à la vapeur a tendance à se recroqueviller et à prendre une forme peu harmonieuse. Pour y remédier, poser sur la pièce à cuire un léger couvercle d'un diamètre un peu plus petit que celui du récipient de cuisson.

• **Les fumets**

Ce sont des courts-bouillons un peu plus concentrés que les mélanges ci-dessus. Les quantités de liquides divers restent identiques. Mais on augmente ou on diversifie les quantités de légumes (pieds de champignons de couche, poireaux, persil, carottes, etc.). Et on ajoute une tête de poisson, des parures, des arêtes (restant par exemple après un prélèvement de filets) demandées au poissonnier.

Le mélange est porté à ébullition pendant 15 à 20 minutes, puis passé et mis à refroidir légèrement avant d'y faire cuire le poisson. On utilise le fumet pour faire cuire des filets de poissons fins (sole par exemple) ou des poissons de petite taille pour lesquels on recherchera par la suite une présentation raffinée (en gelée par exemple) ou encore pour des écrevisses, voire de gros crustacés.

Langoustines à la menthe

Pour 4 personnes

12 langoustines	1/2 verre de vinaigre
2 grosses tomates bien mûres	1 sachet-dose de menthe séchée
2 gousses d'ail	2 ou 3 branches de menthe fraîche
180 g de fromage à 0 % de m.g.	1 dizaine de grains de coriandre

bouquet garni, sel, poivre

Préparation : 25 minutes
Cuisson : 10 minutes

- Préparer un court-bouillon avec 1,5 l d'eau, le vinaigre, le bouquet garni, le sachet-dose de menthe, 1 gousse d'ail épluchée mais entière, les grains de coriandre, du sel et du poivre. Porter à ébullition. Y plonger les langoustines préalablement lavées à l'eau froide. Laisser cuire à tout petits bouillons pendant 5 à 6 minutes. Laisser refroidir dans le court-bouillon.
- Laver, peler et épépiner les tomates. Les couper en morceaux. Éplucher et écraser la seconde gousse d'ail. Piler dans un mortier avec les feuilles de menthe fraîche jusqu'à obtention d'une sorte de purée. Saler, poivrer.
- Battre le fromage blanc jusqu'à obtention d'une consistance onctueuse. L'ajouter peu à peu à la purée.
- Égoutter les langoustines. Les présenter en buisson. Servir la sauce à part, en saucière.

Un exemple de court-bouillon particulier : l'utilisation d'un sachet-dose de menthe.

Pot-au-feu de lotte

Pour 4 personnes

800 g de lotte 2 petits navets
500 g de carottes 2 oignons moyens
4 poireaux moyens 1 gousse d'ail
1 petit céleri-rave
bouquet garni, clous de girofle, sel, poivre

Préparation : 20 minutes
Cuisson : 50 minutes

- Éplucher les légumes. Les laver. Détailler carottes, navets et céleri en grosses olives. Nouer les poireaux en un petit paquet. Piquer les oignons de clous de girofle.
- Mettre cuire à l'eau bouillante salée, poivrée et additionnée du bouquet garni pendant 30 minutes.
- Retirer. Égoutter. Tenir au chaud.
- Piquer le morceau de lotte de petits morceaux d'ail à la façon d'un gigot. Ficeler en rôti. Mettre à cuire dans le bouillon de cuisson des légumes pendant 20 minutes, sans jamais laisser bouillir le milieu de cuisson qui doit seulement frémir.
- Déficeler la lotte. La découper en morceaux. La servir entourée des différents légumes disposés de façon harmonieuse.

La lotte est un poisson ferme à qui conviennent beaucoup de préparations analogues à celles de la viande.

Darnes de bar à l'oseille

Pour 4 personnes

4 tranches de bar de 150 à 170 g
500 g d'oseille
1 jaune d'œuf
1 cuillerée à soupe de crème fraîche épaisse
1/2 citron
1 verre de vin blanc
1 échalote
1 branche de thym
sel, poivre, noix muscade

Préparation : 25 minutes
Cuisson : 15 minutes au total

- Préparer un court-bouillon avec 1,5 l d'eau, le vin blanc, l'échalote épluchée, du thym, du sel, et quelques grains de poivre. Y pocher rapidement les darnes de bar.

- Laver et sécher soigneusement l'oseille. Réserver 1 ou 2 feuilles. Faire cuire les autres à l'eau bouillante salée. Égoutter très soigneusement.

- Hacher. Ajouter le jaune d'œuf et la crème fraîche à cette purée. Poivrer. Râper un peu de noix muscade.

- Disposer les darnes de bar sur un plat. Entourer de la purée d'oseille. Décorer avec les rondelles de citron et les feuilles d'oseille crues hachées.

Si votre régime est très strict, vous remplacerez la crème par un peu de lait. Si vous avez atteint un stade un peu plus décontracté, comptez 2 cuillerées à soupe de crème pour 4. Rases, bien entendu.

Barbue à la fondue de poireaux

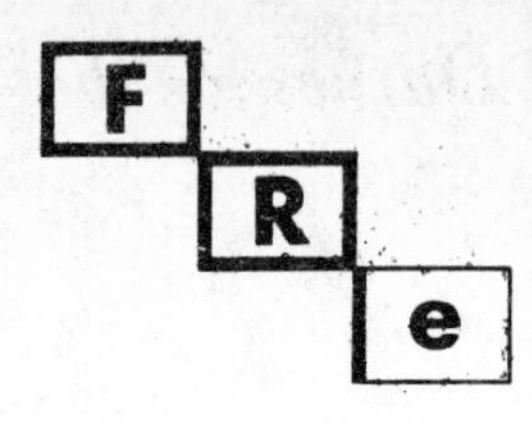

Pour 4 personnes

1 barbue de 1 kg environ
1,500 kg de poireaux
25 g de beurre
2 verres de vin blanc sec
2 verres de bouillon *
0,300 l de lait demi-écrémé
1 œuf
1 cuillerée à café de maïzena
bouquet garni, sel, poivre

Préparation : 20 minutes
Cuisson : 40 minutes au total

- Lever les filets de barbue. Les faire cuire à la vapeur d'un court-bouillon fait de bouillon de volaille additionné de vin blanc sec et d'un bouquet garni.
- Laver soigneusement les poireaux. Éliminer les feuilles trop vertes. Tailler les blancs en lanières minces.
- Dans une cocotte à revêtement antiadhésif, faire fondre le beurre. Y faire étuver doucement les blancs de poireaux pendant 20 minutes, en ajoutant un peu de bouillon si nécessaire.
- Battre l'œuf avec le lait et la maïzena. Saler, poivrer.
- Dans un plat à four, disposer les poireaux et, par-dessus, les filets de barbue. Recouvrir avec le mélange œuf et lait. Mettre à gratiner à four chaud pendant 10 minutes environ.

* *Préparé éventuellement avec une tablette.*

25 g de beurre pour 4 : ça compte. Mais ce n'est quand même pas une folie pour un plat garni.

Lieu braisé à la julienne

Pour 4 à 6 personnes

1 beau lieu (jaune ou noir) de 1 à 1,5 kg
800 g de carottes
300 g de navets
2 oignons moyens
80 g de couennes
thym, romarin, sel, poivre

Fumet

1 verre de vin blanc sec, 4 verres d'eau, bouquet garni, 2 ou 3 têtes de poissons, sel et poivre.

Préparation (y compris celle du fumet) : 30 minutes
Cuisson : 40 minutes

- Mettre dans un fait-tout les têtes de poissons bien lavées. Ajouter le vin blanc, l'eau, le bouquet garni, un peu de sel et du poivre en grains. Porter à ébullition. Laisser frémir doucement pendant 20 minutes. Passer soigneusement.
- Éplucher et laver les légumes. Émincer les oignons. Couper carottes et navets en julienne (petits bâtonnets).
- Tapisser un plat à four antiadhésif avec les couennes. Le couvrir, d'une légère couche de légumes. Poser par-dessus le poisson entier. Disposer le restant des légumes tout autour. Verser le fumet qui doit juste recouvrir le poisson. Saler, poivrer, effeuiller le thym et le romarin. Couvrir d'une feuille d'aluminium ménager.
- Mettre à cuire à four moyen pendant 40 minutes. Retirer l'aluminium 10 minutes avant la fin de la cuisson.
- Disposer avec précaution le poisson sur un plat. Entourer de petits tas de légumes et de feuilles de salade. Servir avec une sauce tartare *(voir p. 246)* ou une sauce verte *(voir p. 246)*.

Les couennes, bien minces, n'apporteront pratiquement pas de graisse à votre préparation. Mais elles évitent à celle-ci d'attacher, même avec un revêtement antiadhésif, et conservent au braisé son moelleux. Vous pouvez utiliser la même méthode avec du veau, du bœuf, des légumes ou un autre poisson.

Rougets au fenouil

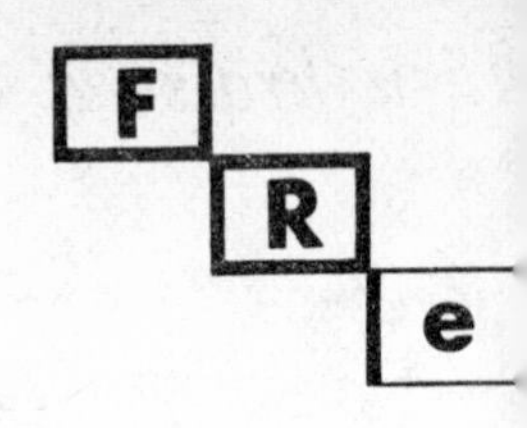

Pour 4 personnes

4 beaux rougets *
4 bulbes moyens de fenouil
1 cuillerée à soupe d'anis en grains
2 cuillerées à soupe d'huile d'olive
sel, poivre

Préparation : 20 minutes
Cuisson : 35 minutes au total

- Nettoyer les bulbes de fenouil. Retirer les parties dures. Laver et sécher. Couper en quartiers. Faire blanchir 5 minutes à l'eau bouillante salée. Égoutter.
- Laver et sécher les rougets.
- Huiler le fond d'un plat à four à revêtement antiadhésif. Y disposer en alternance rougets et morceaux de fenouil. Saupoudrer de graines d'anis. Saler, poivrer. Arroser avec le restant de l'huile d'olive.
- Faire cuire pendant 30 minutes à four chaud.

* *Les faire vider par le poissonnier.*

Un plat garni très peu gras.

Truites au jambon fumé

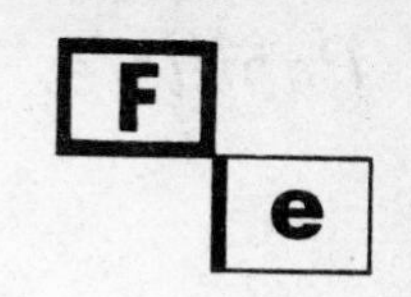

Pour 4 personnes

4 grosses truites
4 tranches minces de jambon fumé
4 branches de thym
20 g de beurre
2 citrons

Préparation : 15 minutes
Cuisson : 30 minutes

Vider, parer les truites. Les laver rapidement et les sécher.

Retirer la partie grasse des tranches de jambon fumé. Rouler chaque truite dans une de ces tranches.

Beurrer 4 rectangles d'aluminium ménager. Effeuiller par-dessus 1·branche de thym. Déposer 1 truite sur chacun d'eux. Refermer.

Faire cuire à four bien chaud pendant 30 minutes.

Servir dans l'enveloppe d'aluminium ouverte avec du citron à part.

A essayer aussi avec des petits merlans.

Papillotes de saumon

Pour 4 personnes

4 tranches de saumon de 150 g
2 citrons verts
20 g de beurre
1 petit bouquet de menthe fraîch
cerfeuil, persil
sel, poivre, paprika

Préparation : 15 minutes
Cuisson : 8 minutes environ

- Laver, sécher, hacher les herbes. Couper les citrons verts e tranches minces. Retirer la peau qui entoure les tranches de poi son ainsi que l'arête centrale. Saler, poivrer sur les deux face Saupoudrer un peu de paprika.
- Beurrer 4 grands carrés d'aluminium ménager. Répartir entr eux la moitié du hachis d'herbes. Poser par-dessus une tranche d citron vert, puis les tranches de saumon. Continuer par une no velle rondelle de citron puis par la fin du hachis d'herbes. Referm la papillote d'aluminium ménager.
- Faire cuire à four très chaud pendant 8 à 10 minutes.
- Servir dans la papillote ouverte. Accompagner d'une mayonnai mousseline.

Un plat très fin qui peut figurer dans menu de réception. Mais on peut pr parer de la même façon des tranch de lieu ou de cabillaud bien meille marché.

Filets de poisson aux moules

Pour 4 personnes

4 filets de poisson (merlan, lieu, limande, etc.) de 120 g environ	1 verre de bouillon de volaille *
1 litre de moules	1 citron
150 g de champignons de couche	1 échalote
1 verre de vin blanc sec	2 jaunes d'œufs
	1 ou 2 branches de persil

sel, poivre

Préparation : 25 minutes
Cuisson : 40 minutes au total

- Gratter les moules. Les mettre dans un fait-tout avec l'échalote hachée et le vin blanc. Les faire ouvrir sur feu vif. Égoutter. Passer l'eau de cuisson. Décoquiller les moules. Les garder au chaud.
- Oter le pied terreux des champignons. Laver rapidement, sécher et émincer. Mettre dans une casserole avec le jus du citron et 1/2 verre de bouillon. Saler, poivrer. Faire cuire doucement pendant 10 minutes environ. Égoutter. Mettre au chaud avec les moules.
- Saler et poivrer les filets de poisson des deux côtés. Les déposer dans un plat à four à revêtement antiadhésif. Recouvrir du jus de cuisson des moules et du jus de cuisson des champignons mélangés. Si le liquide n'est pas suffisant, ajouter le restant du bouillon.
- Faire partir la cuisson sur feu vif. Recouvrir d'aluminium ménager et mettre à four moyen pendant 30 minutes environ. Surveiller la cuisson qui sera plus ou moins longue suivant la nature du poisson. Les filets ne doivent pas se défaire.
- Disposer les filets sur le plat de service.
Réchauffer quelques instants moules et champignons dans le jus de cuisson des filets. Ajouter les jaunes d'œufs un par un à la sauce. Verser sur les filets. Saupoudrer de persil haché.

* *Éventuellement préparé avec une tablette.*

A base de filets de merlan, c'est un plat simple et bon marché. A base de filets de soles et de vin blanc de classe, c'est un plat habillé.

Lisettes au citron vert

Pour 4 personnes

8 petits maquereaux
0,250 l de bouillon de volaille *
0,250 l de muscadet
1/2 verre de vinaigre
8 citrons verts
quelques branches de persil
cerfeuil
2 jaunes d'œufs
sel, poivre

Préparation : 10 minutes
Cuisson : 15 minutes

- Mélanger bouillon, muscadet, vinaigre et jus des citrons verts. Saler, poivrer.
- Vider, laver, sécher les petits maquereaux. Couper les têtes. Mettre dans une poissonnière ou, à défaut, dans un plat à four où ils puissent tenir côte à côte. Recouvrir avec le mélange précédent
- Porter lentement à ébullition. Recouvrir d'aluminium ménager et mettre à four moyen pendant une dizaine de minutes.
- Égoutter les poissons et les disposer dans un plat creux. Tenir au chaud.
- Passer le jus. En conserver 1/2 verre. Mettre 2 verres du jus restant à chauffer.
- Battre les jaunes d'œufs dans le 1/2 verre de liquide réservé. Verser dans le liquide chaud. Mélanger. Retirer du feu.
- Verser sur les maquereaux. Saupoudrer d'un hachis de persil et de cerfeuil.

* *Éventuellement préparé avec une tablette.*

Vous pouvez préparer de la même façon de la lotte ou du thon frais. Seule la cuisson du poisson lui-même sera un peu plus longue.

Saint-Pierre farci à l'oseille

F

Pour 4 personnes

1 Saint-Pierre de 1,500 kg environ *
400 g d'oseille
1 petite tasse de mie de pain rassis
1 tasse de lait demi-écrémé
1 œuf
1 citron
1 verre de bouillon **
2 cuillerées à soupe de vin blanc sec
sel, poivre, cannelle

Préparation : 20 minutes
Cuisson : 40 minutes au total

- Laver soigneusement l'oseille. La faire cuire rapidement à l'eau bouillante salée. Égoutter soigneusement en pressant pour éliminer un maximum de liquide. Hacher.
- Mettre la mie de pain à tremper dans le lait.
- Dans un saladier, mélanger l'oseille hachée, la mie de pain essorée et l'œuf. Saler, poivrer. Ajouter un peu de cannelle.
- Laver rapidement le Saint-Pierre. Le sécher avec un papier absorbant, y compris la cavité abdominale. Remplir celle-ci de farce à l'oseille.
- Déposer le poisson dans un plat à four à revêtement antiadhésif. Arroser avec le bouillon et le vin blanc. Faire cuire à four chaud pendant 30 minutes en arrosant régulièrement.
- 5 minutes avant la fin de la cuisson, arroser de jus de citron.
- Servir bien chaud, de préférence dans le plat de cuisson.

* *Demander au poissonnier de le vider, et de couper ouïes et nageoires.*
** *Préparé éventuellement au moyen d'une tablette.*

Vous pouvez aussi préparer une farce à base de champignons de couche hachés. Dans un cas comme dans l'autre, diminuez légèrement votre consommation de pain par ailleurs.

Merlu aux tomates

Pour 4 personnes

4 tranches de merlu (dit « colin ») de 200 g
2 tomates
1 oignon
1 poignée de persil
1 verre de vin blanc sec
30 g de beurre
1 jaune d'œuf
0,250 l de bouillon
bouquet garni, sel, poivre, noix muscade

Préparation : 20 minutes
Cuisson : 25 minutes au total

- Beurrer très légèrement le fond d'un plat à revêtement antiadhésif.
- Éplucher, laver, hacher oignon, tomates et persil. En recouvrir le fond du plat. Poser les tranches de merlu par-dessus. Saler, poivrer. Arroser de vin blanc sec.
- Mettre cuire à four chaud pendant 15 minutes en retournant à mi-cuisson.
- D'autre part, mettre chauffer le bouillon avec le bouquet garni, le beurre et un peu de noix muscade râpée. Dès que le beurre est fondu, battre au fouet pour mélanger. Laisser réduire d'un tiers. Pour terminer, lier avec un jaune d'œuf préalablement délayé dans un peu de bouillon froid.
- Retirer les tranches de poisson. Dresser sur un plat et tenir au chaud.
- Mélanger soigneusement le fond de cuisson du plat et la sauce, et laisser réduire quelques minutes sur feu doux sans cesser de tourner.
- Verser sur le poisson. Servir bien chaud.

Aujourd'hui, si vous avez prévu ce plat, il faudra renoncer à beurrer la (ou l'une) des tartines autorisées au petit déjeuner.
Au lieu de manger votre pain sec, taillez-le en « mouillettes » et préparez un œuf à la coque pour ce premier repas de la journée.

Sardines en citronnette

Pour 4 personnes

2 douzaines de sardines moyennes
2 citrons + 1 pour accompagner
1 cuillerée à soupe d'huile d'olive
2 cuillerées à café de graines de fenouil
fenouil en branches
sel, poivre

Préparation : 15 minutes
Cuisson : 20 minutes

- Vider et étêter les sardines. Essuyer soigneusement pour retirer les écailles.
- Recouvrir le fond d'un plat à four avec de petites branches de fenouil. Disposer les sardines par-dessus.
- Dans un bol, mélanger le jus de 2 citrons et l'huile d'olive. Saler. Poivrer. Verser le mélange sur les sardines. Saupoudrer de graines de fenouil.
- Faire cuire à four chaud pendant 20 minutes environ en arrosant souvent.
- Servir avec des quartiers de citron.
- Accompagner d'une purée d'épinards.

Avouez que cela change un peu du bifteck haricots verts. Et ce n'est pas plus gras : 1/4 de cuillerée à soupe d'huile.

Dorade grillée à la créole

Pour 4 personnes

1 dorade de 1,2 kg *	3 ou 4 brins de ciboulette
1/2 verre d'huile d'olive	1 citron
1/4 verre de rhum blanc	sel, poivre, Cayenne, persil

Préparation : 15 minutes + marinade : 2 heures
Cuisson : 20 minutes

- Mélanger l'huile d'olive, le rhum blanc, le persil et la ciboulette hachés. Saler, poivrer. Ajouter une pointe de Cayenne.
- Laver et essuyer la dorade. L'arroser des deux côtés avec le jus du citron. Mettre le poisson à mariner dans le mélange précédent pendant 2 heures.
- Égoutter la dorade. Faire quelques incisions de chaque côté. La faire griller en la retournant souvent.
- Servir bien chaud.

* *Demander au poissonnier de la vider et de l'écailler.*

Poser la dorade sur un papier absorbant pour éliminer l'excès de corps gras. Comme bien des marinades, celle-ci laissera beaucoup d'huile non consommée.

Brochettes de langoustines

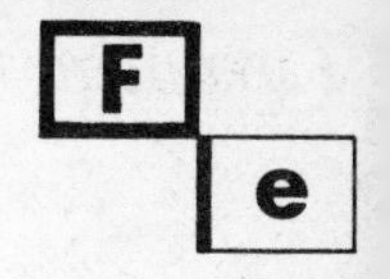

Pour 4 personnes

1,200 kg de langoustines
1/2 verre d'huile
1/4 verre de vermouth blanc
200 g de champignons de couche (de petite taille)
2 poivrons verts moyens
sel, poivre, Cayenne

Préparation : 30 minutes + marinade : 1 heure
Cuisson : 10 minutes

- Mélanger l'huile, le vermouth, du sel, du poivre et une pincée de Cayenne.
- Décortiquer les langoustines. Les mettre à macérer dans le mélange ci-dessus pendant 1 heure.
- Oter le pied terreux des champignons. Laver rapidement. Sécher. Laver et épépiner les poivrons. Découper des losanges.
- Égoutter les langoustines en les déposant sur un papier absorbant. Préparer des brochettes avec 1 langoustine, 1 champignon, 1 morceau de poivron, etc.
- Faire griller 10 minutes en retournant souvent les brochettes et en arrosant légèrement de marinade, si nécessaire.

Les langoustines doivent être bien recouvertes de marinade. Mais, ensuite, égouttez-les au maximum avant de les mettre à griller.

Turbotin à la mode des îles

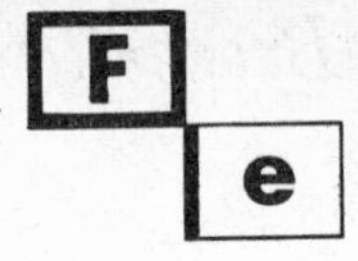

Pour 4 personnes

1 turbotin de 1,200 kg	4 jaunes d'œufs
0,200 l de vin blanc sec	1 gousse de vanille
1 citron	1 cuillerée à soupe d'huile
150 g de fromage à 0 % de m.g.	sel, poivre

Préparation : 20 minutes
Cuisson : 20 minutes

- Fendre la gousse de vanille en deux dans le sens de la longueur. Mettre dans une petite casserole avec le vin blanc. Laisser réduire de moitié.
- Laver et éponger le turbotin. Huiler les deux côtés. Faire griller sur un gril bien chaud 8 minutes de chaque côté. Saler, poivrer.
- Pendant sa cuisson, battre le fromage au fouet. Ajouter les jaunes d'œufs et le jus de citron. Saler. Poivrer.
- Retirer les morceaux de vanille. Verser la réduction de vin blanc sur le fromage blanc. Fouetter vigoureusement. Remettre dans la casserole. Faire chauffer à feu doux jusqu'à épaississement. Verser aussitôt en saucière.
- Disposer le poisson sur un plat. Servir la sauce à part.

Une sauce que vous pouvez préparer pour accompagner une barbue ou un Saint-Pierre grillés ou pochés. Retenez, de toute façon, l'idée de la réduction de vin blanc. A condition de ne pas dépasser les quantités indiquées ici.

Plateau de fruits de mer

Par personne

6 huîtres profondes	3 praires
6 huîtres plates	3 clams
6 moules de Bouzigues	1 oursin
4 à 6 grosses crevettes roses	1 citron

Préparation : 15 minutes par assiette

- Garnir le fond de l'assiette de glace pilée et d'algues.
- Couper le citron en deux. Poser une moitié au centre de l'assiette. Y piquer les grosses crevettes. Disposer de chaque côté un demi-oursin.
- Ouvrir les praires, les clams, les Bouzigues en les disposant tout autour du citron aux crevettes.
- Faire de même avec les huîtres.

VARIANTES

Elles sont multiples et dépendent autant des goûts personnels que des disponibilités en fruits de mer et du prix de ces derniers. Diminuer le nombre d'huîtres et augmenter celui des praires ou des crevettes lorsque les huîtres se vendent au prix de l'or (ou presque).

Sans beurre, ni pain bis, ni petit vin blanc... bien entendu.

des légumes

Ces grands délaissés des menus courants sont aussi la grande (re)découverte de la cuisine allégée.

Mais, au fait, pourquoi les a-t-on délaissés, ces légumes ? Parce qu'ils n'ont pas grand prestige, il faut bien le dire, dans la grande cuisine. Ils accompagnent, entourent, garnissent viande ou poisson, servant plus de faire-valoir à l'œil et au goût que d'éléments de base d'un menu. Et encore les camoufle-t-on souvent sous des jus, sauces, crèmes. Il est vrai que, depuis longtemps, les légumes ne viennent plus du jardin familial ou de chez un proche maraîcher. Ceux que proposent les grandes surfaces, préemballés parfois, ont déjà fait beaucoup de chemin, et l'on n'y a guère de choix. Sur un marché, les possibilités sont déjà meilleures, mais il faut du temps pour comparer, choisir, attendre, chez un commerçant puis chez un autre. Dernier point : l'épluchage, qui n'a rien de particulièrement drôle. Tout cela, il faut en tenir compte lorsque les kilos de trop font redécouvrir les légumes.

On les redécouvre, parce qu'ils comptent parmi les rares aliments que l'on peut consommer absolument à volonté... à condition, bien entendu, de ne pas faire appel aux traditionnelles sauces, qui sont, elles, indésirables. Alors ?

La qualité première d'un légume, nous l'avons vu, c'est la fraîcheur. Elle demande des achats bihebdomadaires et une rigoureuse sélection. Redécouvrir les marchés, si vous les aviez un peu délaissés, sera une bonne solution à plusieurs points de vue. Vous y trouverez plus de variété que chez un marchand de légumes, même « de toute confiance ». Très souvent, même dans les grandes villes, on y trouve de petits producteurs vendant directement, ou presque, des légumes moins jolis, moins courants, mais très bons. Et puis le marché, cela fait bouger.

Si vous ne pouvez vous y rendre qu'une fois par semaine, organisez vos achats. Vous utiliserez en premier les légumes-feuilles, plus fragiles, puis les légumes-fruits (tomates, courgettes, aubergines, etc.) et enfin les racines. Vous avez également la ressource des légumes :

— en conserves appertisées * : ils sont stérilisés donc déjà cuits et ne demandent que quelques accommodements de dernière minute;

— surgelés : ils sont juste « blanchis » et demandent à être cuits. Lisez attentivement les modes d'emploi.

Vous pouvez aussi raccourcir la corvée d'épluchage. En éliminant dès le rangement les feuilles ou parties abîmées (à éviter d'ailleurs à l'achat) et en faisant à l'avance une partie des opérations : lavage et égouttage des feuilles de salade, par exemple, qui pourront ensuite être conservées dans des boîtes étanches en plastique.

Faire cuire en une seule fois, à l'eau ou à la vapeur, des quantités plus importantes qu'il n'est nécessaire dans l'immédiat permet d'utiliser la seconde moitié dans les 24 ou 48 heures suivantes pour une salade, un gratin, une omelette, etc.

A ne pas oublier :

— La cuisson à l'eau se fait dans un *minimum* d'eau *bouillante*, éventuellement *parfumée* (bouquet garni, bouillon en tablette, oignon, clou de girofle, etc.). Elle doit durer juste le temps nécessaire. Un légume cuit à point reste un peu ferme.

— La cuisson à la vapeur conserve aux légumes toutes leurs qualités (visuelles, gustatives, nutritives). On peut également parfumer l'eau dont la vapeur sert à la cuisson.

Accompagnement :

Tous les légumes cuits à l'eau ou à la vapeur peuvent être accompagnés :

— d'herbes hachées, soit saupoudrées à leur surface (visuellement l'effet est très joli), soit servies à part;

— de beurre juste fondu, additionné ou non de jus de citron, servi à part en saucière. Vous l'utiliserez un peu, modérément, ou pas du tout, suivant le niveau de votre régime et le reste de votre alimentation de la journée. Vos convives n'ont pas forcément les mêmes préoccupations que vous.

* *Pourquoi les conserves sont-elles donc encore l'objet de préventions et de réticences de la part des consommateurs ? Alors qu'elles sont faites à partir de produits de bonne qualité et ont une valeur vitaminique souvent supérieure (plus ou moins) à celle de l'aliment frais correspondant et qu'elles sont, par ailleurs, moins onéreuses. En outre, elles permettent, hors saison, une grande diversification de l'alimentation.*

Papeton d'aubergines

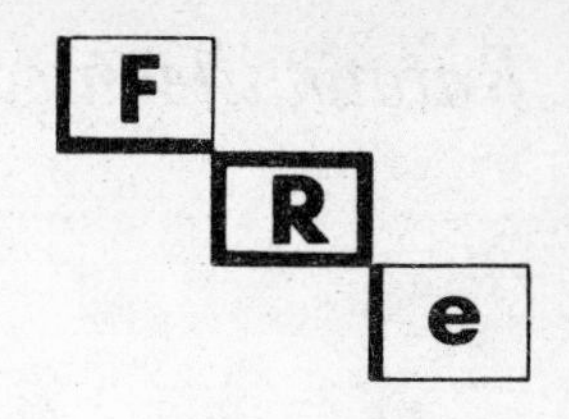

Pour 4 personnes

800 g d'aubergines
4 œufs
0,200 l de lait demi-écrémé
1 cuillerée à soupe d'huile d'olive
thym, romarin, sel, poivre, noix muscade

Préparation :
40 minutes (y compris le temps de faire dégorger les aubergines)
Cuisson : 1 h 15

Oter le pédoncule des aubergines. Les éplucher. Les couper en tranches. Ranger ces tranches au fur et à mesure dans une passoire à pieds en saupoudrant chaque couche de sel fin. Laisser dégorger pendant 30 minutes. Essuyer très soigneusement.

Faire chauffer l'huile dans une cocotte à revêtement antiadhésif. Y disposer les tranches d'aubergines. Saupoudrer de thym et de romarin effeuillés. Couvrir. Laisser étuver pendant 30 à 40 minutes.

Battre les œufs en omelette. Ajouter le lait. Saler. Poivrer. Râper un peu de noix muscade.

Égoutter les aubergines, si nécessaire les écraser. Mélanger avec la préparation précédente.

Verser dans un plat à four en terre (ou dans un moule à soufflé huilé). Mettre à cuire à four moyen pendant 45 minutes.

Servir nature dans le plat de cuisson. Ou démouler et napper de sauce tomate bien relevée.

Si vos possibilités sont plus importantes, ajoutez un peu de gruyère râpé : 10 à 25 g par personne suivant les largesses que vous pouvez vous permettre.

Ratatouille niçoise

R
e

Pour 4 personnes

3 aubergines
3 courgettes
500 g de tomates
3 oignons moyens
1 poivron vert moyen
1 gousse d'ail
1 cuillerée à soupe d'huile d'olive
1 branche de basilic
1 branche de thym
sel, poivre

Préparation : 20 minutes
Cuisson : 1 heure

- Laver soigneusement aubergines et courgettes. Oter les pédo cules. Couper en tranches d'un bon centimètre d'épaisseur sa les éplucher.
- Laver les tomates. Les couper en quartiers. Éplucher et lav les oignons. Les couper en tranches.
- Laver les poivrons. Les couper en lanières en ôtant un maximu de pépins.
- Faire chauffer l'huile dans une cocotte à revêtement antiadhési Y déposer les tomates et les rondelles d'oignons. Faire reveni Ajouter les rondelles de courgettes, puis les rondelles d'aubergine les lanières de poivrons, la gousse d'ail épluchée, la branche thym. Ajouter un demi-verre d'eau ou de bouillon.
- Couvrir. Laisser mijoter à feu doux pendant 1 h 30. Saler et p vrer en fin de cuisson. Saupoudrer de basilic avant de servir.

Commencez toujours la cuisson de ratatouille par les tomates et les ro delles d'oignons. Ils exsudent, à cuisson, un jus parfumé qui permet a autres légumes de ne pas attacher d le départ. Les courgettes, elles aus rendent de l'eau, mais plus lenteme

Artichauts farcis

Pour 4 personnes

8 artichauts moyens	1 œuf
0 g de champignons de Paris	1 citron
petite tasse de mie de pain rassis	1 gousse d'ail
petite tasse de lait demi-écrémé	10 g de beurre

persil, sel, poivre

Préparation : 25 minutes
Cuisson : 35 minutes au total

Couper la queue des artichauts. Oter les feuilles les plus dures. Laver les artichauts à grande eau. Frotter les fonds au jus de citron. Raccourcir les feuilles au maximum. Mettre à cuire à l'eau bouillante salée pendant 15 minutes.

Mettre la mie de pain rassis à tremper dans le lait.

Oter le pied terreux des champignons. Laver rapidement. Sécher. Émincer. Faire étuver dans le beurre à tout petit feu pendant 10 minutes environ.

Égoutter les artichauts. Retirer les feuilles du centre et le foin.

Presser le pain au maximum. Le passer à la moulinette. Ajouter les champignons, l'ail et le persil hachés, l'œuf. Saler et poivrer.

Remplir les artichauts de cette farce. Mettre gratiner au four pendant 10 minutes.

Réduisez légèrement, par ailleurs, votre consommation de pain et de biscottes. Même cachée, la mie de pain reste source d'amidon.

Bettes au gratin

Pour 4 personnes

1 kg de bettes (côtes et feuilles)
200 g de fromage à 0 % de m.g.
1/2 verre de lait demi-écrémé
1 cuillerée à soupe rase de maïzena
1 cuillerée à soupe de gruyère râp
sel, poivre

Préparation : 20 minutes
Cuisson : 25 minutes

- Éplucher et laver soigneusement les bettes. Oter les parti fibreuses. Séparer côtes et feuilles. Faire cuire séparément à l'e. bouillante salée. Égoutter soigneusement. Hacher.
- Délayer la maïzena dans le lait. Ajouter peu à peu le froma blanc. Faire épaissir sur feu doux sans cesser de tourner. Pass au chinois. Saler. Poivrer. Mélanger aux morceaux de côtes aux morceaux de feuilles.
- Dans un plat à four, disposer les côtes au centre, entourer feuilles. Saupoudrer de gruyère râpé.
- Faire gratiner 7 à 8 minutes à four chaud.

C'est économique puisqu'on utilise bettes de haut en bas. La préparat est jolie. Et c'est bon...

Brocolis fermière

Pour 4 personnes

1 kg de brocolis 1 jaune d'œuf
150 g de fromage à 0 % de m.g. 1 cuillerée à café de moutarde
sel, poivre

Préparation : 25 minutes
Cuisson : 40 minutes

Laver soigneusement les brocolis. Les faire cuire à l'eau bouillante salée pendant 30 à 35 minutes.

Battre le fromage blanc au batteur. Ajouter le jaune d'œuf et la moutarde. Chauffer doucement sans cesser de tourner. Saler, poivrer. Tenir au chaud.

Égoutter les brocolis très soigneusement. Hacher grossièrement. Disposer dans un plat. Recouvrir de sauce.

Servir aussitôt.

On peut, si nécessaire, se contenter d'un peu de persil et de cerfeuil hachés sur des brocolis cuits à l'eau et bien égouttés. Même sans beurre, c'est très bon.

Cardons au curry

Pour 4 personnes

1 kg de cardons
2 citrons
0,250 l de bouillon de volaille *
2 jaunes d'œufs
2 cuillerées à soupe de farine
1 cuillerée à café de curry
sel, poivre

Préparation : 40 minutes
Cuisson : 1 h 30 (50 minutes en autocuiseur)

- Oter les côtes dures et les parties filandreuses des cardons. Coupe en bâtonnets. Frotter au citron.
- Délayer la farine dans un peu d'eau froide. Ajouter peu à pe suffisamment d'eau pour faire cuire les cardons et le jus du secon citron. Mettre à bouillir. Faire cuire les cardons dans ce « blanc pendant 1 h 30.
- Délayer les jaunes d'œufs dans le bouillon. Saler légèremen poivrer. Faire épaissir sur feu doux sans cesser de tourner. Ajout le curry.
- Égoutter soigneusement les cardons. Verser dans un plat. Arros avec la sauce. Servir aussitôt.

* *Éventuellement préparé à partir d'une tablette.*

Vous pouvez prévoir la même prépa tion avec des côtes de bettes. Mais c' différent.

Carottes Vichy

Pour 4 personnes

800 g de carottes nouvelles
20 g de beurre
5 ou 6 branches de persil
sel, poivre

Préparation : 15 minutes
Cuisson : 45 minutes

Éplucher et laver les carottes. Les couper en rondelles fines.

Les mettre dans une cocotte à revêtement antiadhésif. Recouvrir d'eau froide. Ajouter le beurre coupé en tout petits morceaux. Saler. Poivrer.

Couvrir. Laisser cuire à feu très doux pendant 45 minutes environ. Oter le couvercle et laisser cuire encore pendant une dizaine de minutes.

Saupoudrer de persil haché.

L'appellation sonne tristement « régime ». A tort, car les carottes Vichy, c'est très bon. Et il ne s'agit pas du tout de carottes cuites à grande eau.

Purée de céleri-rave

Pour 4 personnes

800 g de céleri-rave 1 œuf
1 l de lait demi-écrémé sel, poivre, persil

Préparation : 20 minutes au total
Cuisson : 35 minutes

- Éplucher et laver le céleri. Le couper en morceaux. Blanchir l'eau bouillante salée pendant quelques minutes. Égoutter.
- Mettre le lait à bouillir. Saler. Poivrer. Plonger les morceaux d céleri. Laisser reprendre l'ébullition. Réduire le chauffage. Laisse cuire en frémissant pendant 30 minutes.
- Retirer les morceaux de céleri. Passer au mixer ou à la moulinett Délayer avec quelques cuillerées de lait de cuisson. Réchauffe Lier avec le jaune d'œuf délayé dans 1 cuillerée à soupe de la de cuisson.
- Hors du feu, ajouter le persil haché et le blanc d'œuf battu e neige. Rectifier l'assaisonnement si nécessaire.

Le blanc d'œuf battu en neige rend purées de légumes plus légères.
A essayer avec des carottes ou navets.

Chou braisé à la tomate

Pour 4 personnes

1 chou frisé de 800 g environ	2 oignons moyens
500 g de tomates	2 cuillerées à soupe d'huile
1 gousse d'ail	sel, poivre

Préparation : 10 minutes
Cuisson : 40 minutes

- Éplucher et laver le chou. Le plonger 5 minutes dans l'eau bouillante salée. Égoutter soigneusement. Couper assez grossièrement en lanières.
- Éplucher, laver, émincer les oignons, l'ail et les tomates.
- Faire chauffer l'huile dans une cocotte à revêtement antiadhésif. Y faire fondre oignons, ail et tomates. Ajouter le chou. Saler. Poivrer.
- Couvrir et laisser cuire doucement pendant 35 à 40 minutes.

Ne pas employer de corps gras du tout ? C'est possible. Versez un verre d'eau dans le fond de la cocotte. Dès que cette eau arrive à ébullition, ajoutez les tomates, l'oignon et l'ail. Laissez cuire doucement quelques minutes avant d'ajouter le chou.

Choux de Bruxelles au jambon et aux pommes

Pour 4 personnes

800 g de choux de Bruxelles	10 g de beurre
4 tranches de jambon maigre	1 verre de bouillon *
2 pommes de reinette moyennes	sel, poivre, noix muscade

Préparation : 20 minutes
Cuisson : 30 minutes au total

- Éplucher et laver les choux de Bruxelles. Cuire 10 minutes à l'eau bouillante salée. Égoutter.
- Couper le jambon en lamelles. Éplucher les pommes. Oter le cœur. Couper en lamelles fines.
- Dans un plat à four à revêtement antiadhésif, disposer les choux de Bruxelles en intercalant régulièrement lamelles de jambon et tranches de pommes.
- Arroser avec le bouillon légèrement poivré et additionné d'un peu de noix muscade râpée. Répartir le beurre sur le dessus.
- Faire cuire à four moyen pendant 20 minutes environ (tout le liquide doit être absorbé).

Vous avez mangé un demi-fruit. Choisissez une salade comme crudité pour ce repas.

Chou-fleur mimosa

Pour 4 personnes

1 chou-fleur de 1 kg environ
1 œuf dur
1 petit bouquet de persil
sel

Préparation : 10 minutes
Cuisson : 10 minutes

- Diviser le chou-fleur en petits bouquets. Laver.
- Faire cuire 10 minutes à l'eau bouillante salée. Égoutter.
- Remplir un petit saladier de bouquets de chou-fleur, fleurs en dessous. Tasser.
- Démouler sur un plat. Saupoudrer de persil et d'œuf dur hachés.

Tout le monde n'a pas vos préoccupations. Servez aussi, à part, un peu de beurre fondu pour arroser ce chou-fleur. Mais n'en prenez que si vos comptes d'aujourd'hui vous le permettent. Et pas trop!

Chou-fleur au paprika

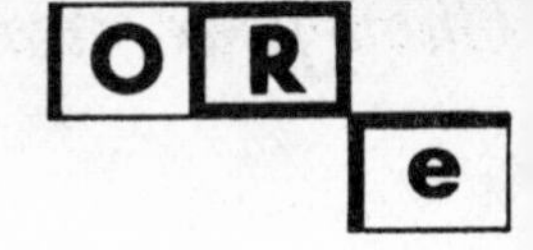

Pour 4 personnes

1 chou-fleur de 1 kg environ
0,500 l de lait demi-écrémé
2 cuillerées à soupe de crème fraîche
1 cuillerée à soupe de maïzena
2 cuillerées à café de paprika
2 ou 3 brins de ciboulette
sel, poivre

Préparation : 15 minutes
Cuisson : 15 minutes au total

- Éplucher le chou-fleur. Diviser en petits bouquets. Faire cuire 10 minutes à l'eau bouillante salée. Égoutter.
- Reformer en dôme, comme indiqué p. 229.
- Délayer la maïzena dans un peu de lait froid. Mettre le reste du lait à bouillir. Verser la maïzena et laisser épaissir sans cesser de tourner. Ajouter la crème. Battre un peu au fouet. Saler. Poivrer. Ajouter le paprika.
- Arroser le chou-fleur de sauce. Saupoudrer de ciboulette hachée.

Soignez particulièrement la présentation de ce plat. Si vous trouvez que le paprika ne colore pas assez la sauce, ajoutez un peu de tomato-ketchup.

Soufflé de courgettes

Pour 4 personnes

800 g de courgettes
0,400 l de lait demi-écrémé
4 œufs
1 cuillerée à soupe de fécule
1 cuillerée à soupe de parmesan râpé
15 g de beurre
sel, poivre, noix muscade

Préparation : 15 minutes
Cuisson : 1 h 10 au total

- Laver les courgettes. Oter les pédoncules mais ne pas les éplucher. Faire cuire à l'eau bouillante salée pendant 30 minutes environ. Égoutter. Passer à la moulinette. Faire dessécher à feu moyen sans cesser de remuer.
- Délayer la fécule dans un peu de lait froid. Mettre le restant du lait à bouillir. Verser la fécule et laisser épaissir sans cesser de tourner.
- Ajouter les courgettes, les jaunes d'œufs, le parmesan râpé. Saler, Poivrer. Râper un peu de noix muscade.
- Ajouter les blancs battus en neige ferme.
- Verser dans un moule à soufflé beurré qui ne doit être rempli qu'aux deux tiers.
- Faire cuire à four moyen pendant 40 minutes environ.

Très peu de beurre + très peu de parmesan + très peu de fécule, cela passe si vous êtes stable à un niveau alimentaire moyen. Si votre stabilité à vous se situe à un niveau plus faible, défalquez 5 g de beurre de vos largesses d'aujourd'hui.

Courgettes à la tunisienne

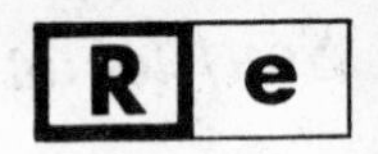

Pour 4 personnes

1,200 kg de courgettes
1 gousse d'ail
3 sachets-doses de menthe
1 cuillerée à soupe d'huile
sel, poivre

Préparation : 15 minutes
Cuisson : 25 minutes

- Verser 1 verre d'eau frémissante sur 2 sachets-doses de menthe. Laisser infuser pendant 5 minutes. Retirer les sachets.
- Laver les courgettes. Oter les pédoncules. Essuyer et couper sans éplucher en rondelles épaisses de 1/2 centimètre.
- Huiler le fond et les parois d'un plat à four. Y disposer les courgettes en couches successives. Saler et poivrer chaque couche au fur et à mesure. Mouiller avec le verre d'infusion de menthe. Saupoudrer le dessus avec le contenu du 3e sachet et l'ail finement haché.
- Faire cuire à four chaud pendant 20 à 25 minutes.
- Se mange chaud en accompagnement d'une viande (filet de porc rôti, par exemple) ou froid en entrée.

Vous pouvez — surtout si vous envisagez de manger ces courgettes froides — remplacer la menthe séchée par quelques feuilles de menthe fraîche ajoutées après cuisson. Et n'oubliez pas qu'il y a de l'huile dans ce plat de légumes.

Crosnes aux herbes

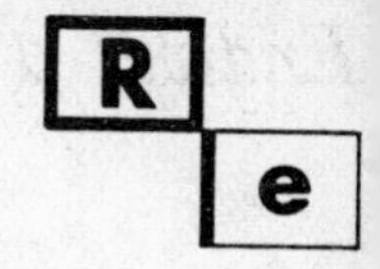

Pour 4 personnes
750 g de crosnes, 30 g de beurre
persil, cerfeuil, estragon, sel, poivre
Pour la préparation
1 poignée de gros sel, 1 citron, 1 cuillerée à soupe de farine.
Préparation : 10 minutes
Cuisson : 25 minutes

- Mettre le gros sel sur un torchon. Poser les crosnes par-dessus. Fermer. Frotter avec les deux mains pour enlever la peau des crosnes. Rincer à l'eau courante. Sécher.
- Délayer la farine dans une petite quantité d'eau. Ajouter le jus de citron, les crosnes et assez d'eau pour cuire ceux-ci. Porter à ébullition. Laisser cuire 20 minutes à petits bouillons. Égoutter.
- Faire fondre le beurre dans une cocotte à revêtement antiadhésif. Ajouter les crosnes. Saler. Poivrer. Secouer pour bien répartir le corps gras autour des crosnes.
- Laver. Sécher. Hacher les herbes.
- Verser les crosnes dans un plat. Saupoudrer avec les fines herbes hachées.

La cuisson dans un « blanc » (eau, farine, jus de citron) conserve aux légumes leur blancheur initiale (choux-fleurs, crosnes, céleris, salsifis, etc.). C'est plus agréable à l'œil.

Endives à la moutarde

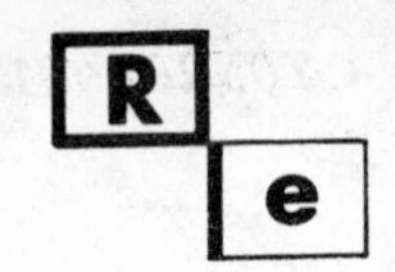

Pour 4 personnes

1 kg d'endives
1 citron
1 verre de vin blanc sec
150 g de fromage à 0 % de m.g.
2 cuillerées à soupe de moutarde
1 cuillerée à soupe d'huile
persil, sel, poivre

Préparation : 20 minutes
Cuisson : 30 minutes

- Laver les endives. Oter le fond qui est un peu amer. Frotter de citron. Les faire blanchir 10 minutes à l'eau bouillante salée. Égoutter.
- Faire chauffer l'huile dans une sauteuse. Y faire dorer les endives. Ajouter le vin blanc et un verre d'eau. Saler. Poivrer. Laisser cuire 20 minutes à feu doux.
- Battre le fromage blanc pour le rendre bien onctueux. Ajouter la moutarde. Recouvrir les endives du mélange. Couvrir. Laisser chauffer 5 minutes.
- Verser dans un plat. Saupoudrer de persil haché.

Si vous ne désirez pas utiliser de corps gras du tout, faites étuver les endives dans un mélange de bouillon corsé (2 verres et demi) et de vin blanc.

Soufflé vert

Pour 4 personnes

400 g d'épinards surgelés | 4 œufs
200 g de fromage à 0 % de m.g. | 15 g de beurre
sel, poivre, Cayenne

Préparation : 15 minutes
Cuisson : 50 minutes au total

- Faire cuire les épinards comme indiqué sur le mode d'emploi. Égoutter très soigneusement.
- Battre le fromage blanc. Lui ajouter les épinards et les jaunes d'œufs. Saler. Poivrer. Ajouter une pincée de Cayenne.
- Ajouter les blancs d'œufs battus en neige.
- Verser dans un moule à soufflé beurré qui ne doit être rempli qu'aux deux tiers.
- Faire cuire à four moyen pendant 40 minutes environ.

C'est un exemple de l'utilisation du fromage blanc à 0 % de matières grasses pour préparer des soufflés. Si vous êtes stabilisé à un niveau au-dessus, faites une base classique de sauce béchamel (30 g de beurre ou de margarine et 30 g de farine pour 4 personnes).

Fenouil à l'orientale

Pour 4 personnes

4 bulbes moyens de fenouil
300 g de tomates
2 oignons moyens
1 zeste de citron
2 échalotes
1 verre de vin blanc sec
1 cuillerée à soupe d'huile
1/3 de cuillerée à café de safran
sel, poivre

Préparation : 15 minutes
Cuisson : 45 minutes

- Éliminer les parties dures des bulbes de fenouil. Laver soigneusement. Gratter. Couper en quatre. Cuire à l'eau bouillante salée pendant 5 minutes.
- Éplucher, laver, hacher les oignons, les échalotes, les tomates. Couper le zeste en morceaux.
- Égoutter soigneusement les bulbes de fenouil.
- Faire chauffer l'huile dans la cocotte. Y faire revenir oignons, échalotes et tomates. Remuer. Ajouter les bulbes de fenouil et le zeste de citron. Mélanger. Mouiller avec le vin blanc. Ajouter le safran. Saler. Poivrer.
- Couvrir. Laisser mijoter à feu doux pendant 45 minutes environ.

Préférez les bulbes de fenouil petits et moyens. Ils sont plus parfumés et plus tendres.

Timbales de laitue

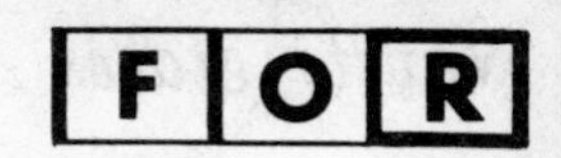

Pour 4 personnes

1 belle laitue 3 œufs
0,400 l de lait demi-écrémé 10 g de beurre
cerfeuil, sel poivre, noix muscade

Préparation : 15 minutes
Cuisson : 40 minutes environ

- Éplucher et laver soigneusement la laitue. Faire cuire 10 minutes à l'eau bouillante salée. Égoutter. Presser pour éliminer l'eau au maximum. Passer à la moulinette.
- Mettre le lait à bouillir.
- Battre les œufs en omelette. Verser le lait bouillant par-dessus. Ajouter la laitue. Saler. Poivrer. Râper un peu de noix muscade. Ajouter un peu de cerfeuil haché.
- Beurrer des timbales. Y répartir la préparation. Faire cuire au bain-marie à four chaud pendant 30 minutes environ.
- Démouler avant de servir.

Après cela, ne faites plus la grimace lorsqu'on vous parlera de salade cuite...

Navets glacés

Pour 4 personnes

800 g de navets
20 g de beurre
1 cuillerée à soupe rase de sucre semoule
persil, sel, poivre

Préparation : 15 minutes
Cuisson : 45 minutes

- Éplucher et laver les navets. Les détailler en forme de grosses olives.
- Mettre dans une sauteuse à revêtement antiadhésif. Recouvrir d'eau froide. Ajouter le beurre coupé en petits morceaux. Saler. Poivrer.
- Couvrir. Laisser cuire à feu très doux pendant 45 minutes.
- Oter le couvercle. L'eau doit être pratiquement absorbée. Saupoudrer de sucre semoule. Remuer pour mélanger le sucre. Laisser cuire encore 5 à 10 minutes environ.
- Saupoudrer de persil haché avant de servir.

Vous pouvez donner de la même façon un bel aspect brillant à des carottes ou à des choux de Bruxelles. Et cela ne fait pas une grosse quantité de sucre par personne. A compter, tout de même.

Poivrons farcis au jambon

Pour 4 personnes

4 beaux poivrons verts
4 tranches de jambon maigre
150 g de fromage à 0 % de m.g.
1 petite tasse de pain rassis
1 petite tasse de lait demi-écrémé
2 jaunes d'œufs
persil, sel, poivre, noix muscade

Préparation : 20 minutes
Cuisson : 40 minutes

- Mettre le pain à tremper dans le lait.
- Laver soigneusement les poivrons. Les couper aux deux tiers environ de leur hauteur. Retirer les graines qui se trouvent à l'intérieur.
- Hacher le jambon. Essorer la mie de pain.
- Battre le fromage blanc pour le rendre onctueux. Ajouter le jambon haché, la mie de pain, les jaunes d'œufs et un peu de persil haché. Bien mélanger. Saler. Poivrer. Râper un peu de noix muscade.
- Répartir cette farce dans les poivrons.
- Disposer dans un plat à four. Faire cuire à four chaud pendant 40 minutes.

C'est aussi un moyen d'utiliser un reste de viande. N'oubliez pas de manger un peu moins de pain par ailleurs : il y en a dans la farce.

Germes de soja

Pour 4 personnes

600 g de germes de soja
2 citrons
0,250 l de bouillon de volaille *
1 cuillerée à soupe d'huile
1 morceau n° 4 de sucre
sel, poivre en grains, coriandre

Préparation : 10 minutes
Cuisson : 20 minutes

- Laver le soja dans 2 litres d'eau additionnée du jus d'un citron. Égoutter. Sécher sur du papier absorbant.
- Faire chauffer l'huile dans une sauteuse à revêtement antiadhésif. Y verser les germes de soja. Remuer. Ajouter le bouillon, le jus du second citron, le sucre et quelques grains de poivre et de coriandre. Saler.
- Couvrir. Laisser mijoter à feu doux pendant 20 minutes.

* *Éventuellement préparé avec une tablette.*

Pour en accentuer l'aspect exotique, servez-les avec des feuilles de menthe fraîche.

des sauces

Terminé, nous vous l'avons dit, le règne de la sauce. Tout au moins celui de la sauce-camouflage, élément principal d'une préparation. Car, bien sûr, la sauce qui accompagne, rehausse, adoucit, la sauce légère n'est pas proscrite, bien au contraire.

Elle est l'esprit, tout en finesse, de la cuisine allégée, et l'un des domaines où l'imagination peut le mieux se révéler:

— qu'elle adapte les anciennes recettes pour n'en retenir que la saveur ou la texture, sans pour cela faire appel à d'importantes quantités de corps gras ou de farine;

— ou qu'elle mette au point ses propres créations.

Chacune a ses trouvailles de base. En voici quelques-unes. Qui vous amèneront sans aucun doute à en découvrir d'autres.

LA FAMILLE VINAIGRETTE

Le goût dominant, c'est l'*acidité* qu'apportent les vinaigres (oui, les, car il en existe plusieurs types) ou le jus de citron, et que rehaussent moutardes diverses, fines herbes et aromates choisis.

Le plus étonnant dans la cuisine classique, c'est que l'élément le plus important — en quantité — de ces vinaigrettes, bien mal nommées, c'est... l'huile. C'est elle qui donne le volume et l'onctuosité qui permettront à la vinaigrette d'imprégner toute la préparation.

Pour résoudre ce problème, il existe plusieurs possibilités :

• **vinaigrette à l'huile de paraffine**

L'huile de paraffine n'est pas un corps gras, mais... un minéral, sans aucune valeur nutritive. Son onctuosité lui permet donc de remplacer, entièrement ou en partie, l'huile dans une vinaigrette. Il existe d'ailleurs des huiles de paraffine parfumées à l'estragon ou à diverses herbes vendues en pharmacie sous différents noms de marque. Elles vous rendront service à condition :

— de les employer seulement en petites quantités. L'huile de paraffine est un laxatif dont l'efficacité n'est plus à prouver. Elle peut donc être à l'origine d'accidents désagréables et se révéler gênante en ce qui concerne le bon fonctionnement intestinal;

— de ne jamais les faire cuire, ni les ajouter à des préparations qui doivent cuire. De ne jamais s'en servir non plus pour graisser un gril ou une poêle.

• vinaigrette au yaourt

Pour certaines salades (concombre, laitue, carottes râpées...) on remplace parfois l'huile par de la crème fraîche. Dans ces cas-là, on peut utiliser le yaourt comme élément liant. Yaourt classique ou, de préférence yaourt bulgare qui, par sa consistance spéciale convient particulièrement bien à ces vinaigrettes-là.

A noter : il est préférable de ne pas employer de vinaigre de vin très coloré pour ces vinaigrettes, la couleur n'étant pas très jolie. On préférera un vinaigre de vin peu coloré, un vinaigre de cidre ou un vinaigre d'alcool de bonne qualité. Ou encore du jus de citron.

• vinaigrette au jus de citron

Moins acide que le vinaigre, le jus de citron s'emploie en quantités plus importantes. Ainsi, on ajoute moins d'huile pour obtenir un même volume de sauce. Quitte à allonger un peu le jus de citron (avec un peu d'eau ou, ce qui est bien meilleur, avec une petite quantité de jus d'orange plus doux et qui donne à la sauce un goût très fin).

Mieux vaut alors utiliser une huile « vraie ». Parfumée si possible, comme l'huile d'olive ou l'huile de noix dont une seule cuillerée suffit à donner du goût à une salade pour 6 personnes. Ce n'est pas parce qu'une salade baigne dans l'huile qu'elle est meilleure.

Vinaigrette classique

Pour 4 personnes

3 cuillerées à soupe d'huile de paraffine
1/2 à 1 cuillerée à café (suivant le goût) de moutarde
1 cuillerée à soupe de vinaigre de vin
sel poivre

● Mettre sel, poivre et moutarde au fond du saladier. Mélanger. Délayer avec le vinaigre. Ajouter peu à peu l'huile de paraffine.

Vinaigrette au jus de citron

Pour 4 personnes

3 cuillerées à soupe de jus de citron
1 cuillerée à soupe de jus d'orange
sel, poivre
1 cuillerée à soupe d'huile d'olive
1/2 cuillerée à café (suivant le goût) de moutarde

- Procéder comme ci-dessus.

Vinaigrette au yaourt

Pour 4 personnes

1 pot de yaourt bulgare
1 cuillerée à soupe de vinaigre blanc
1/2 cuillerée à café (suivant le goût) de moutarde
sel, poivre

- Mettre sel, poivre et moutarde au fond du saladier. Mélanger. Délayer avec le vinaigre.

- Remuer le yaourt avec une cuillère. L'ajouter peu à peu au mélange précédent sans cesser de remuer vigoureusement de manière à obtenir une émulsion aussi complète que possible.

Toutes ces sauces se versent *sur* la salade qui doit être remuée plusieurs minutes avant d'être servie.

VARIANTES

— *Sauce aux herbes :* ajouter persil, cerfeuil, ciboulette, estragon, basilic ou menthe fraîche, seuls ou associés. Couper ces herbes aux ciseaux au fond d'un verre pour obtenir le meilleur aspect pour le meilleur parfum.

— *Sauce gribiche :* ajouter un œuf dur et 2 ou 3 cornichons hachés avec un peu de persil, cerfeuil, estragon.

— *Sauce ravigote :* ajouter un petit oignon haché, 1 cuillerée à café de câpres, du persil et du cerfeuil.

Les deux dernières sauces accompagnent bien les viandes et les poissons froids.

Les précédentes s'adressent plutôt aux légumes crus et cuits et aux œufs durs.

LA FAMILLE MAYONNAISE

La mayonnaise représente ce qu'on appelle une émulsion stable. C'est-à-dire que le corps gras qu'elle contient (de l'huile) est divisé en fines gouttelettes parfaitement mélangées aux autres ingrédients et ne s'en séparant pas. C'est la lécithine du jaune d'œuf qui permet d'obtenir ce résultat onctueux.

La mayonnaise (et les sauces dérivées) utilisent de très importantes quantités d'huile (1/4 de litre pour 4 à 6 portions) qui, ainsi employées, ne représentent pourtant qu'un assez petit volume. Des quantités totalement incompatibles avec des problèmes de maintien de la ligne.

On peut bien entendu, utiliser de l'huile de paraffine. Mais ces quantités importantes peuvent entraîner des problèmes intestinaux.

Les meilleures « mayonnaises » nouvelle manière s'obtiennent avec du fromage blanc à 0 % de matières grasses. A condition :

— d'employer un fromage « lissé » et non un fromage égoutté en faisselle;

— de battre préalablement ce fromage au batteur électrique, pour le rendre plus onctueux;

— d'utiliser des jaunes d'œufs durs et non des jaunes d'œufs crus comme base de préparation.

Mayonnaise minceur

Pour 4 personnes

180 g de fromage blanc à 0 % de m.g.
2 jaunes d'œufs durs
1 cuillerée à soupe de moutarde
1/2 cuillerée à café de tomato-ketchup
sel, poivre

- Piler les jaunes d'œufs encore tièdes avec la moutarde et le tomato-ketchup. Saler. Poivrer.
- Battre le fromage blanc pour le rendre plus onctueux. Ajouter peu à peu au mélange précédent.

Les utilisations et les variantes sont les mêmes que pour la mayonnaise classique.

— *Sauce anchoïade :* Piler avec les jaunes d'œufs et la moutarde 4 ou 5 filets d'anchois et 1 échalote hachée.

— *Aïoli :* Piler 5 ou 6 gousses d'ail dans un mortier. Ajouter les jaunes d'œufs durs. Ne pas utiliser de moutarde.

Pour accompagner des poissons au court-bouillon, des légumes cuits à l'eau ou à la vapeur, éventuellement des œufs durs.

— *Sauce mousseline :* Ajouter un blanc d'œuf battu en neige à la préparation terminée.

Pour accompagner viandes et poissons froids, ainsi que certains légumes crus ou cuits.

— *Sauce maltaise :* ajouter 1/2 zeste d'orange haché aux jaunes d'œufs durs et un jus d'orange sanguine à la préparation terminée.

Pour accompagner divers légumes cuits (asperges, poireaux, carottes...) et des poissons blancs (merlu, lieu...).

— *Sauce andalouse :* Ajouter à la préparation une cuillerée à soupe de concentré de tomates et un petit poivron rouge coupé en dés.

Pour accompagner des viandes rouges froides, des œufs durs, des salades mélangées.

— *Sauce tartare :* ajouter à la mayonnaise des fines shebre et un petit oignon hachés.

Pour accompagner des viandes, des poissons, des crustacés grillés.

— *Sauce verte :* ajouter un hachis fait de 5 ou 6 branches de cresson et de fines herbes.

Pour accompagner des œufs ou des poissons.

— *Sauce rémoulade :* doubler les quantités de moutarde au début de la préparation. Ajouter 2 ou 3 cornichons hachés lorsqu'elle est terminée.

Pour accompagner des crudités, des viandes et des poissons grillés.

LA FAMILLE BÉCHAMEL

Toute cette série de sauces très connues utilise, comme base, ce qu'il est convenu d'appeler un roux. C'est-à-dire un mélange de farine et de beurre fondu chaud, délayé avec de l'eau, du bouillon (sauce blanche) ou du lait (sauce béchamel) et cuit jusqu'à épaississement.

C'est l'amidon de la farine qui, gonflant peu à peu dans le liquide, donne sa consistance à la sauce.

Ces sauces servent de base à la préparation des soufflés.

Dans un régime relativement large, les proportions classiques (30 g de beurre et 30 g de farine pour 4 personnes), restent tout à fait correctes si, par ailleurs, on est resté très modéré dans le domaine des amidons (pain notamment) et des matières grasses. Si, au contraire, l'alimentation de la journée est relativement riche, ou si les possibilités du régime sont moins généreuses, il faudra procéder de façon un peu différente. On utilise alors un amidon pur (maïzena, fécule de pommes de terre, crème de riz, arrow-root), dont il faut de plus faibles quantités pour un épaississement identique. On le délaye directement dans un peu de liquide froid, avant de verser dans le restant du liquide bouillant. On laisse ensuite épaissir sur feu doux en remuant. Pour obtenir une onctuosité identique, à celle de la béchamel classique, on peut battre quelques secondes au batteur électrique la sauce terminée, ou lui ajouter un blanc d'œuf battu en neige ou un jaune d'œuf.

VARIANTES DES DEUX TYPES DE SAUCE

— *Sauce béchamel :* remplacer eau ou bouillon par la même quantité de lait demi-écrémé.

— *Sauce bâtarde :* ajouter à la sauce blanche terminée, un jaune d'œuf et une cuillerée à café de jus de citron.

— *Sauce Aurore :* ajouter à la sauce terminée une cuillerée à soupe de concentré de tomates.

— *Sauce Soubise :* Faire étuver à part, dans un peu de bouillon, 2 gros oignons émincés. Les passer à la moulinette. Ajouter à la sauce blanche.

On peut aussi les parfumer au *curry* (1 cuillerée à café) ou à la *moutarde* (1 cuillerée à soupe).

Sauce blanche classique

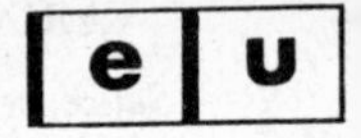

Pour 4 personnes

0,400 l d'eau ou de bouillon * 30 g de beurre
30 g de farine sel, poivre

Préparation et cuisson : 10 minutes

- Faire fondre le beurre à feu doux.
- Ajouter la farine. Bien mélanger.
- Lorsque le mélange devient mousseux, verser d'un seul coup le liquide froid. Remuer. Continuer à chauffer en tournant jusqu'à ce que le mélange épaississe.
- Saler. Poivrer.

* *Préparé éventuellement avec une tablette.*

A vous de choisir cette sauce ou la suivante.

Sauce blanche allégée

Pour 4 personnes

0,400 l d'eau ou de bouillon *
1 cuillerée à soupe de maïzena, crème de riz, ou fécule de pommes de terre
sel, poivre

Préparation et cuisson : 5 minutes

- Délayer l'amidon dans une petite quantité de liquide froid.
- Mettre le restant du liquide à bouillir.
- Y verser l'amidon délayé. Laisser épaissir sans cesser de remuer. Retirer du feu. Saler, poivrer. Battre quelques secondes au fouet.

* *Préparé éventuellement avec une tablette.*

Une sauce totalement neutre.

Sauce mousseline vanillée

Pour 4 personnes

150 g de fromage blanc à 0 % de m.g.
3 jaunes d'œufs + 1 blanc
1 cuillerée à soupe de jus de citron
1 gousse de vanille
sel, poivre

Préparation : 5 minutes
Cuisson : 10 minutes

- Fendre la gousse de vanille en deux. Couper en petits morceaux. Mettre dans une casserole avec le jus de citron. Amener à ébullition. Laisser frémir 5 minutes.
- Battre le fromage blanc avec les 3 jaunes d'œufs. Saler. Poivrer.
- Retirer la vanille et verser le mélange fromage blanc-jaunes d'œufs dans la casserole. Laisser épaissir doucement sans cesser de tourner.
- Hors du feu, ajouter le blanc d'œuf battu en neige.
- Servir avec asperges, poissons au court-bouillon, fonds d'artichauts...

Les jaunes d'œufs servent à lier cette sauce. Le blanc d'œuf battu lui donne sa légèreté de mousseline.

Sauce roquefort

Pour 4 personnes

190 g de fromage à 0 % de m.g.
75 g de roquefort
2 œufs durs
1 cuillerée à café de vinaigre
1/2 cuillerée à café de moutarde forte
sel, poivre

Préparation : 15 minutes

Écraser les jaunes d'œufs durs avec le roquefort et la moutarde.

Battre le fromage blanc jusqu'à ce qu'il soit bien onctueux. S'en servir pour délayer le mélange précédent.

Saler légèrement. Poivrer. Ajouter le vinaigre.

Uniquement pour grandes largesses. Le roquefort, c'est bon, mais c'est gras.

Sauce Méditerranée

Pour 4 personnes

150 g de fromage à 0 % de m.g.
2 cuillerées à café d'huile
1 cuillerée à soupe de vinaigre
ou jus de citron
3 brins de ciboulette
cerfeuil, sel, poivre

Préparation : 20 minutes

- Battre le fromage blanc jusqu'à ce qu'il soit bien onctueux.
- Laver, sécher et hacher ciboulette et cerfeuil. Ajouter au fromag blanc. Saler, poivrer.
- Verser peu à peu l'huile d'olive, puis le vinaigre en tournant comm pour une mayonnaise.
- Servir très frais avec viandes, poissons ou légumes.

Il est indispensable de battre le froma blanc et, si possible, au batteur él trique. Cette opération incorpore l'air et rend ainsi la sauce plus o tueuse.

Sauce Fontenelle

Pour 4 personnes

1 jaune d'œuf dur	2 yaourts bulgares
1 gousse d'ail	persil et cerfeuil hachés
1 cuillerée à café de moutarde	câpres, sel, poivre

Préparation : 15 minutes

Éplucher l'ail. En frotter les parois du récipient où l'on prépare la sauce.

Mettre au fond de celui-ci le jaune d'œuf dur et la moutarde. Piler et mélanger soigneusement. Délayer peu à peu avec les yaourts jusqu'à l'obtention d'une sauce onctueuse. Saler, poivrer légèrement. Ajouter persil et cerfeuil hachés et les câpres.

Peut se servir avec un poisson au court-bouillon, des légumes cuits à la vapeur.

Frotter d'ail les parois du récipient où l'on prépare une sauce ou une salade leur confère un parfum léger qu'apprécient ceux qui ne supportent pas l'ail lui-même.

Sauce tomate

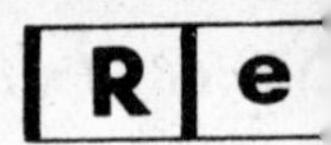

Pour 4 personnes

500 g de tomates	1 gousse d'ail
2 oignons moyens	1 branche de thym
1 cuillerée à soupe d'huile d'olive	1 branche de persil
	1/2 feuille de laurier
sel, poivre	

Préparation : 15 minutes
Cuisson : 45 minutes

- Laver et éplucher les tomates. Couper en quartiers. Éliminer le pépins et l'excès de jus.
- Éplucher, laver, hacher les oignons, l'ail, le persil.
- Faire chauffer l'huile dans une sauteuse à revêtement antiadhési Verser le hachis d'oignons, ail, persil, puis les morceaux de tomate Remuer. Ajouter thym et laurier. Couvrir. Laisser cuire douce ment pendant 45 minutes.
- Retirer thym et laurier. Passer au mixer.
- Chauffer quelques instants. Rectifier l'assaisonnement.

C'est un coulis classique. Si vous désirez, vous pouvez en exclure tota ment l'huile et faire étuver les légum dans 1/2 verre de bouillon.

Sauce aux poivrons et au citron

Pour 4 personnes

4 citrons
2 petits poivrons rouges
petit piment « langue d'oiseau »
1 oignon
1 gousse d'ail
quelques gouttes de tabasco, sel

Préparation : 15 minutes, 1 heure à l'avance

Laver les poivrons. Oter les pépins. Couper en très minces lanières.

Éplucher, laver et hacher très finement oignon et ail. Laver le piment et le couper en tout petits morceaux.

Presser les citrons.

Bien mélanger tous ces éléments. Saler. Ajouter quelques gouttes de tabasco. Laisser reposer une heure avant de servir.

Servir avec des poissons cuits au court-bouillon ou grillés.

C'est épicé, mais absolument pas gras.

Sauce à l'échalote

Pour 4 personnes

2 échalotes — 1 cuillerée à soupe de vinaigre
1 verre de vin blanc — 3 ou 4 feuilles d'estragon
1 verre de bouillon * — 2 jaunes d'œufs
sel poivre

Préparation et cuisson : 20 minutes

- Éplucher, laver, hacher les échalotes. Les mettre dans une petit casserole avec les feuilles d'estragon, le vinaigre et le vin blanc Chauffer doucement jusqu'à ce que le mélange ait réduit de moitié.
- Battre les jaunes dans le bouillon froid jusqu'à ce que le mélang soit mousseux.
- Hors du feu, ajouter à la réduction tout en continuant à battr jusqu'à épaississement.
- Saler, poivrer.

Mêmes utilisations que la béarnaise classique.

* *Préparé éventuellement avec une tablette.*

Le sabayon (jaunes d'œufs battus dans liquide froid, puis ajoutés à un liqui chaud) donne des sauces très onctueus C'est l'une des découvertes de la cuisi allégée.

Crème d'ail

Pour 4 à 6 personnes

12 gousses d'ail
0,250 l de lait demi-écrémé
1/2 cuillerée à café de maïzena ou fécule
sel, poivre

Préparation : 25 minutes
Cuisson : 5 minutes

Éplucher les gousses d'ail. Retirer la petite partie verte qui se trouve à l'extrémité.

Blanchir 5 minutes à l'eau bouillante. Égoutter. Écraser au mortier comme pour un aïoli.

Délayer la maïzena dans un peu de lait froid. Verser dans le restant du lait bouillant. Ajouter l'ail écrasé. Faire épaissir doucement sans cesser de tourner.

Saler, poivrer. Battre au fouet pour rendre plus onctueux.

Cette sauce peu épaisse accompagne fort bien un carré d'agneau ti ou grillé, des brochettes et certains poissons grillés (bar, daude...).

C'est en retirant le petit germe vert et en passant l'ail à l'eau bouillante que vous pourrez digérer sans problème cette sauce par ailleurs très légère sur le plan de la ligne.

Sauce trappeur

Pour 4 personnes

2 verres de tomato-ketchup
1/2 verre de vinaigre à l'estragon
sel, poivre, Cayenne
1 cuillerée à soupe de moutarde forte
1/2 cuillerée à soupe de maïzena

Préparation : 5 minutes
Cuisson : 5 minutes

- Délayer sel, poivre et moutarde dans le vinaigre.
- Ajouter la maïzena délayée dans un minimum d'eau froide, puis le tomato-ketchup. Bien mélanger.
- Porter sur feu doux et laisser épaissir sans cesser de tourner.
- Vérifier l'assaisonnement et ajouter une pointe de Cayenne.
- Servir chaud ou froid avec viandes et poissons grillés.

La maïzena donne sa tenue à cette sauce. Pour obtenir la tenue souhaitable, sans grumeaux, la délayer dans une toute petite quantité d'eau froide avant de faire chauffer ou d'ajouter à un liquide bouillant.

Rouille

Pour 4 personnes

2 gousses d'ail
1 petit piment rouge
1 cuillerée à soupe de mie de pain rassis
0,200 l de bouillon *
$1^1/_2$ cuillerée à soupe d'huile d'olive

Préparation : 25 minutes

- Éplucher et piler l'ail et le piment jusqu'à l'obtention d'une sorte de crème.
- Ajouter la mie de pain humectée de bouillon et soigneusement essorée; puis l'huile d'olive. L'ensemble doit être lisse.
- Délayer ensuite peu à peu avec le bouillon.

* *Provenant d'une bouillabaisse, d'une bourride ou d'une soupe de poissons ou préparé avec une tablette.*

Impossible de ne pas tenir compte de la petite quantité d'huile utilisée pour cette rouille. Mais comme elle accompagne des poissons et des légumes cuits à l'eau ou à la vapeur, tout va bien.

les desserts

« Jeanne était au pain sec dans le cabinet noir »... privée de dessert pour « un crime quelconque ». Nous savons par nos souvenirs d'école que, « manquant au devoir » son grand-père, Victor Hugo en personne, effaça la punition au moyen de confitures apportées en cachette.

Aujourd'hui, diététique aidant, les carnets de notes discutables, le pied de nez à la dame du dessous et les diverses porcelaines brisées se paient plutôt par la suppression d'une soirée de télévision ou d'une séance de skate.

L'absence de dessert dans un menu n'en garde pas moins son aspect de brimade pour un grand nombre d'enfants — et d'adultes. Les « becs sucrés » sont, en effet, plus nombreux qu'on ne l'imagine. Et comptent dans leurs rangs autant d'hommes d'affaires et de P.-D.G. de tout rang que de vieilles dames désœuvrées ou de jeunes filles en fleur.

Le dessert, c'est la douceur du repas. Alors, quand il faut surveiller sa ligne... Qui dit douceur pense sucre. Et le sucre, on le sait, reste très strictement limité.

Pourtant, rassurez-vous, on peut conserver sa ligne sans être un éternel privé de dessert. Ce serait une punition tout à fait injustifiée après autant d'efforts et de sagesse. La douceur provient de la consistance, donc de la façon de procéder, autant que des quantités de sucre employées. En outre, il faut bien savoir que le sucre est, en matière de dessert, une sorte de condiment. Un peu, juste ce qu'il faut, c'est bon. Trop, cela masque la saveur des composants du dessert. Vous avez par ailleurs *(voir p. 50)* la ressource des édulcorants de synthèse.

Voici toutes vos possibilités pour terminer vos repas en douceur :

— *les fruits*, nature, en mélange, cuits, en compotes, dans les limites compatibles avec votre ligne;

— *les crèmes au lait* (écrémé ou demi-écrémé) et aux œufs, diversement parfumées;

— *les sorbets*, ils ont classiquement pour base une meringue à l'italienne (blancs d'œufs battus au bain-marie avec du sucre) que l'on peut sucrer un peu moins ou additionner d'édulcorant de synthèse une fois battue sans sucre. C'est l'air incorporé au cours de la transformation en neige qui donne son moelleux à la préparation;

— *les soufflés*, où les blancs d'œufs jouent le même rôle. L'emploi de maïzena, crème de riz, arrow-root ou fécule permet d'obtenir une tenue de base suffisante sans qu'il soit nécessaire d'utiliser des quantités relativement importantes de farine et de corps gras;

— *les glaces*, sans crème fraîche bien entendu. Mais le fromage blanc à 0 % de matières grasses, éventuellement additionné d'une petite quantité de lait concentré non sucré permet d'obtenir des préparations légères et très agréables.

Voici quelques exemples qui vous permettront de créer à votre tour des recettes originales.

Pommes à l'alsacienne

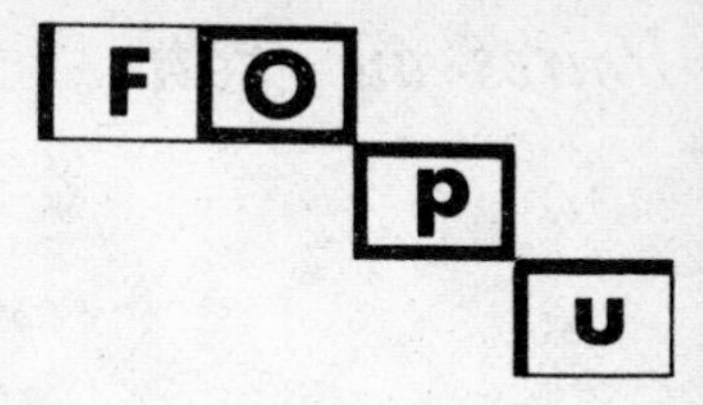

Pour 4 personnes

4 reinettes de taille moyenne 60 g de sucre semoule *
4 œufs cannelle
4 verres de lait demi-écrémé

Préparation : 10 minutes
Cuisson : 20 minutes

- Battre les œufs en omelette. Ajouter le sucre (ou l'édulcorant), le lait, la cannelle.
- Éplucher les pommes. Oter les pépins. Couper en tranches minces. Ranger dans un plat à four. Verser le mélange précédent par-dessus.
- Faire gratiner à four moyen pendant 20 à 30 minutes. Servir tiède.

* *C'est-à-dire l'équivalent de* 3 *morceaux de sucre n°* 4 *par personne. Si vous avez sucré votre café, votre yaourt ou votre thé ou si le sucre vous est totalement interdit, utilisez l'équivalent en édulcorant de synthèse.*

C'est une sorte de délicieux clafoutis. C'est aussi 1 œuf et du lait (sans problème si ce dernier est écrémé ou demi-écrémé). C'est enfin un fruit. Ne l'oubliez pas.

Poires au gratin

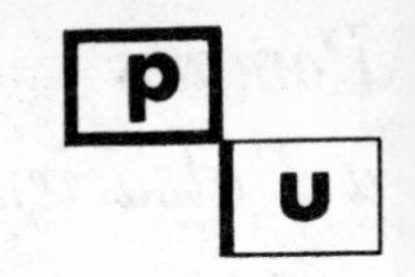

Pour 4 personnes

4 poires de taille moyenne
3 blancs d'œufs
l'équivalent de 50 g de sucre sous forme d'édulcorant de synthèse
15 g de sucre
1 gousse de vanille
1 cuillerée à café d'alcool de poires

Préparation : 20 minutes
Cuisson : 25 minutes au total

- Éplucher les poires. Oter les pépins. Couper en tranches minces. Mettre à cuire avec 2 verres d'eau, la gousse de vanille fendue en deux et l'édulcorant de synthèse, pendant 15 minutes.
- Égoutter légèrement si nécessaire. Mettre dans un plat à four. Écraser légèrement à la fourchette. Répartir l'alcool de poires par-dessus.
- Battre les blancs d'œufs en neige avec les 15 g de sucre. Étaler à la surface des poires.
- Mettre 10 minutes à four doux pour colorer légèrement. Servir tiède.

Pour préparer le meringage, le vrai sucre convient mieux qu'un édulcorant de synthèse. Cela ne fait d'ailleurs pas tout à fait 5 g de sucre par personne.

Ananas surprise

Pour 6 personnes

1 ananas frais de taille moyenne	1 citron
1 orange	150 g de fraises des bois
1 reinette Canada	2 sachets de sucre vanillé

Préparation : 15 minutes

- Éplucher la pomme. Oter les pépins. Couper en petits morceaux. Arroser de jus de citron.
- Éplucher l'orange. Oter la peau blanche. Couper « à vif » en recueillant le jus.
- Retirer un chapeau au sommet de l'ananas. Le vider délicatement de sa chair. Éliminer la partie fibreuse du centre. Couper le reste en petits morceaux. Recueillir le jus.
- Mélanger jus d'orange et d'ananas. Ajouter le sucre vanillé. Mélanger. Ajouter les petits morceaux de fruits. Mettre au frais salade de fruits et ananas vidé.
- Au moment de servir, remplir l'ananas avec la salade de fruits.

Il y a 8 g de sucre dans un sachet de sucre vanillé ou de sucre au citron, soit 16 g pour 6 personnes. 16 g que vous pouvez remplacer par l'équivalent en édulcorant de synthèse.
Mais ne sucrez pas trop, ce serait moins fin.

Salade de fruits rouges

Pour 4 personnes

100 g de groseilles rouges 200 g de framboises
200 g de fraises 50 g de sucre semoule *

Préparation : 25 minutes

- Laver rapidement et sécher soigneusement tous les fruits.
- Égrener les groseilles. Oter les queues des fraises.
- Mettre dans une coupe les groseilles, la moitié des fraises et la moitié des framboises.
- Écraser le restant des fruits. Leur ajouter le sucre et deux cuillerées à soupe d'eau. Mettre dans une casserole et porter à ébullition. Verser bouillant sur les fruits. Mélanger.
- Mettre au réfrigérateur. Servir bien frais.

* *Ou l'équivalent en édulcorant de synthèse.*

Si vous disposez de fraises des bois ou de ces petites fraises très parfumées dites « des quatre saisons », utilisez-les pour la partie non cuite.

Pommes en chemise

Pour 4 personnes

4 reinettes de taille moyenne
4 morceaux de sucre nº 4 *
10 g de beurre
cannelle en poudre
1 petit verre de calvados

Préparation : 10 minutes
Cuisson : 40 minutes

- Laver et essuyer les pommes. Retirer cœur et pépins au vide-pommes. Mais ne pas les peler.
- Poser chaque pomme sur un carré d'aluminium ménager légèrement beurré.
- Tremper les sucres un par un dans le calvados. En disposer dans chaque pomme.
- Ajouter une pincée de cannelle. Refermer la chemise d'aluminium.
- Faire cuire à four moyen pendant 40 minutes. Ouvrir la chemise juste au moment de servir.

* *Ou 4 cubes d'édulcorant ODA*

Pour réussir à beurrer 4 carrés d'aluminium ménager avec cette petite quantité de beurre :
— utilisez un beurre légèrement ramolli;
— posez-le au milieu d'un carré;
— recouvrez celui-ci d'un second carré et frottez-les l'un sur l'autre;
— frottez chacun de ces carrés sur l'un des deux carrés restants.

Compote de pommes à la verveine

Pour 6 personnes

900 g à 1 kg de boskop ou reinettes   40 g de sucre semoule *
3 sachets-doses de verveine

Préparation : 20 minutes
Cuisson : 20 minutes

- Verser un grand verre d'eau frémissante sur les sachets-doses de verveine. Laisser infuser 5 minutes. Retirer les sachets.
- Éplucher finement les pommes. Couper en quartiers et retirer les pépins. Arroser avec l'infusion de verveine. Ajouter le sucre.
- Faire cuire à feu doux pendant 20 minutes en écrasant de temps en temps les fruits.
- Servir tiède ou froid.

* *Ou l'équivalent en édulcorant de synthèse (voir p. 50).*

Ce plat représente un fruit de bonne taille. N'y incorporez du sucre que si vous y avez renoncé par ailleurs aujourd'hui (thé, café, yaourt).

Compote de poires au gingembre

Pour 6 personnes

900 g à 1 kg de poires
15 g de sucre *
1 sachet de sucre vanillé
1 cuillerée à café d'alcool de poires
1 petit morceau de gingembre confit

Préparation : 10 minutes
Cuisson : 20 minutes environ

- Dissoudre le sucre et le sucre vanillé dans 0,500 l d'eau. Porter à ébullition.
- Éplucher les poires. Les couper en quatre. Oter les cœurs. Mettre à cuire *doucement* dans le sirop ci-dessus, jusqu'à ce qu'elles soient devenues translucides.
- Écraser à la fourchette. Ajouter l'alcool de poires et le gingembre râpé.
- Répartir dans de petites coupes ou des ramequins. Servir très froid.

* *Si vous désirez une préparation plus sucrée, ajoutez un peu d'édulcorant de synthèse.*

N'employez pour cette compote que le sucre que vous avez économisé par ailleurs.

Petits pots de crème au citron

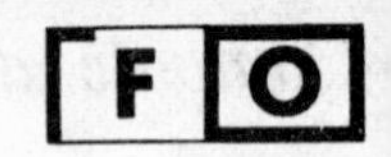

Pour 4 personnes

0,400 l de lait demi-écrémé
3 œufs
1 sachet de sucre glace au citron
1 cuillerée à soupe d'eau de fleur d'oranger
la moitié d'un zeste de citron
édulcorant de synthèse : l'équivalent de 50 g de sucre

Préparation : 15 minutes
Cuisson : 15 minutes

- Battre les œufs en omelette avec le sucre au citron.
- Faire chauffer le lait avec le zeste de citron coupé menu.
- Verser peu à peu le lait bouillant sur les œufs, sans cesser de remuer. Ajouter l'eau de fleur d'oranger et l'édulcorant.
- Répartir dans de petits ramequins au travers d'une passoire fine.
- Faire cuire au bain-marie au four pendant 15 à 20 minutes.

C'est le principe de la crème renversée ou des œufs au lait. Vous pouvez, sur le même principe, préparer des crèmes au caramel, au café, à l'orange, à la vanille.

Crème péruvienne

Pour 4 personnes

1/2 l de lait demi-écrémé
3 œufs
1 cuillerée à soupe de café en grains
1 sachet de caramel liquide
édulcorant de synthèse : l'équivalent de 50 g de sucre
1/2 gousse de vanille
2 cuillerées à café de cacao

Préparation : 10 minutes
Cuisson : 15 à 20 minutes

- Mettre le lait à chauffer avec la demi-gousse de vanille fendue en deux.
- Par ailleurs mettre chauffer les grains de café à sec dans une casserole. Verser le lait vanillé par-dessus. Laisser infuser sur feu très doux pendant 5 minutes.
- Battre les œufs en omelette. Ajouter peu à peu le cacao en poudre. Verser par-dessus le lait parfumé, à travers une passoire fine. Ajouter au mélange le caramel liquide et l'édulcorant de synthèse.
- Verser dans de petits pots. Faire cuire au bain-marie au four pendant 15 à 20 minutes.

Le même mélange, très fin, de cacao, café, caramel peut être utilisé pour préparer des glaces. Il faut toujours utiliser des *grains* de café, chauffés puis mis à infuser.

Rocher au caramel

Pour 6 personnes

0,750 l de lait demi-écrémé
4 œufs
1 cuillerée à soupe rase de maïzena
1 gousse de vanille
édulcorant de synthèse : l'équivalent de 150 g de sucre, dont 50 g en poudre
1 sachet de caramel liquide

Préparation : 20 minutes
Cuisson : 10 minutes

- Faire bouillir le lait avec la gousse de vanille coupée en deux.
- Battre les jaunes d'œufs avec la maïzena.
- Délayer peu à peu avec le lait chaud. Reverser dans la casserole. Faire épaissir doucement sans cesser de tourner. Retirer la vanille. Ajouter l'édulcorant. Verser dans une coupe.
- Battre les blancs d'œufs au bain-marie. Ajouter l'équivalent de 50 g de sucre en édulcorant de synthèse.
- Disposer ce blanc d'œufs sur le dessus de la crème tiède. Arroser de caramel.
- Mettre au frais jusqu'au moment de servir.

La maïzena permet d'obtenir (presque) la consistance d'une crème anglaise classique. Car vous ne pourrez pas, comme pour cette dernière battre les jaunes d'œufs en pommade avec du sucre.

Cœurs au café

Pour 4 personnes

100 g de fromage blanc à 0 % de m.g.
concentré non sucré
2 cuillerées à soupe de lait

2 œufs
30 g de sucre *
1 cuillerée à soupe rase de café soluble

Préparation : 10 minutes

- Battre ensemble le fromage blanc, le sucre (ou l'édulcorant), les jaunes d'œufs, le lait concentré non sucré.
- Ajouter le café soluble. Bien mélanger.
- Battre les blancs en neige ferme. Les incorporer délicatement à la préparation précédente.
- Répartir dans des moules en forme de cœur.
- Servir bien frais.

* *Ou l'équivalent en édulcorant de synthèse.*

Vous pouvez aussi faire glacer le mélange.

Soufflé à l'ananas

Pour 4 personnes

0,300 l de lait
4 tranches d'ananas en conserve
4 œufs
30 g de sucre semoule *
2 cuillerées à soupe rases de crème de riz ou maïzena
1 cuillerée à café de kirsch

Préparation : 25 minutes
Cuisson : 30 minutes

- Sécher les tranches d'ananas sur du papier absorbant. Couper en petits morceaux. Arroser avec le kirsch.
- Délayer la crème de riz dans un minimum de lait froid.
- Mettre le restant du lait à bouillir. Y verser la crème de riz. Laisser épaissir sans cesser de tourner.
- Hors du feu, ajouter le sucre, les jaunes d'œufs et les petits morceaux d'ananas.
- Battre les blancs en neige ferme. Incorporer délicatement au mélange précédent.
- Verser dans un moule à soufflés qui ne doit être rempli qu'aux deux tiers. Faire cuire 30 minutes à four chaud. Servir aussitôt.

* *Ou l'équivalent en édulcorant de synthèse.*

Pour ne pas casser la neige des blancs d'œufs :
— ajouter 1 cuillerée à soupe à l'autre préparation pour la rendre plus souple;
— verser le restant du bloc, en entier, sur ce mélange;
— faites, peu à peu, passer celui-ci *par-dessus* les blancs qui s'en imprègnent petit à petit.

Soufflé créole

Pour 4 personnes

4 œufs entiers + 1 blanc	1 zeste d'orange
0,300 l de lait	2 cuillerées à soupe de rhum
2 cuillerées à soupe rases de maïzena ou fécule	édulcorant de synthèse : l'équivalent de 50 g de sucre

Préparation : 20 minutes
Cuisson : 30 minutes

- Délayer la maïzena dans un peu de lait froid.
- Mettre le reste du lait à bouillir avec le zeste d'orange en un seul morceau. Verser la maïzena et laisser épaissir sans cesser de remuer.
- Hors du feu, retirer le zeste d'orange; ajouter les jaunes d'œufs un par un, le rhum et l'édulcorant de synthèse.
- Battre les 5 blancs d'œufs en neige ferme. Incorporer délicatement à la préparation.
- Verser dans un moule à soufflés qui ne doit être rempli qu'aux deux tiers.
- Faire cuire à four chaud 30 minutes.
- Servir aussitôt.

Dans les soufflés, comme dans les crèmes, il y a des œufs : un par personne, souvent, comme dans cette recette. Bien sûr, ne prévoyez pas d'omelette ce jour-là.

Soufflé glacé aux fraises

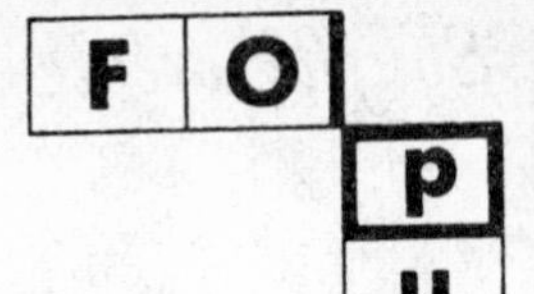

Pour 4 personnes

400 g de fraises
60 g de sucre *
3 jaunes d'œufs
180 g de fromage blanc à 0 % de m.g.

Préparation : 25 minutes, 3 heures à l'avance

- Prendre des timbales à soufflés. Les entourer extérieurement d'une bande de papier blanc ou d'aluminium ménager dépassant les bords de 3 cm.
- Laver rapidement les fraises. Les sécher. Retirer les queues. Passer les fruits au mixer.
- Mettre 2 ou 3 cuillerées à soupe de cette purée dans une casserole avec les jaunes d'œufs. Remuer au fouet tout en chauffant. Lorsque le mélange devient granuleux, retirer du feu et verser dans un saladier froid. Continuer à battre en ajoutant le restant des fraises jusqu'à ce que l'ensemble soit relativement lisse et tout à fait froid. Sucrer.
- Battre par ailleurs le fromage blanc au batteur.
- Mélanger délicatement les deux préparations.
- Verser dans les timbales préparées. Mettre dans le compartiment grand froid pendant 3 heures au moins.

* *Ou l'équivalent en édulcorant de synthèse.*

Ce n'est pas vraiment un soufflé. Mais, quand on la démoule, la préparation en a tout à fait l'aspect.
Vous pouvez employer aussi des framboises ou de grosses cerises noires.

Sorbet aux pêches

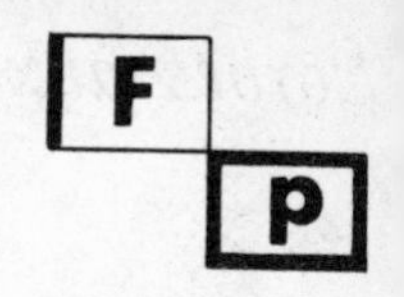

Pour 4 personnes

600 g de pêches blanches
100 g de fromage blanc à 0 % de m.g.
1/2 citron
4 blancs d'œufs
édulcorant de synthèse : l'équivalent de 100 g de sucre

Préparation : 20 minutes, 3 heures à l'avance

- Éplucher et dénoyauter les pêches. Les passer au mixer ou à la moulinette. Arroser de jus de citron. Ajouter l'édulcorant (en poudre de préférence).
- Battre le fromage blanc jusqu'à ce qu'il devienne onctueux. L'ajouter peu à peu au mélange précédent.
- Battre les blancs d'œufs en neige ferme au bain-marie.
- Mélanger délicatement les deux préparations. Verser dans la sorbetière ou dans le bac à glaçons du réfrigérateur *.
- Mettre dans le compartiment grand froid et laisser glacer pendant 3 heures au moins.

* *Dans ce second cas, retirer la préparation du freezer au bout de 15 minutes pour la battre au fouet. Remettre à glacer. Battre à nouveau après 20 minutes environ. Remettre au freezer. La sorbetière permet cependant une préparation plus homogène.*

Le jus de citron garde blanche la chair des pêches.
Une petite quantité rehausse toujours le parfum des fruits.

Sorbet aux poires

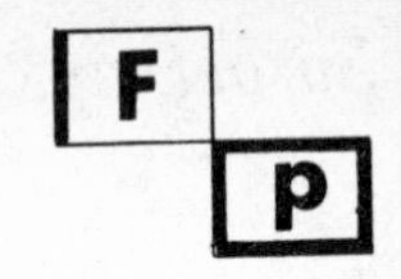

Pour 4 personnes

3 poires de taille moyenne
100 g de fromage blanc à 0 % de m.g.
1 cuillerée à soupe d'alcool blanc de poires
1/2 gousse de vanille
4 blancs d'œufs
édulcorant de synthèse : l'équivalent de 75 g de sucre

Préparation : 20 minutes

- Éplucher les poires. Les couper en quatre. Oter les pépins. Mettre dans une casserole avec la demi-gousse de vanille fendue en deux. Recouvrir d'eau. Laisser attendrir sur feu doux pendant 15 minutes.
- Égoutter. Passer au mixer. Ajouter l'édulcorant (en poudre si possible) et l'alcool de poires.
- Battre le fromage blanc jusqu'à ce qu'il soit très onctueux. Ajouter peu à peu la purée de poires parfumée.
- Battre les blancs d'œufs en neige au bain-marie. Mélanger délicatement les deux préparations.
- Mettre à glacer pendant 3 heures au moins. Servir dans des coupes ou des mazagrans *.

* *Voir p. 277 comment faire glacer sans sorbetière.*

Le « truc », ici, c'est d'employer un peu d'alcool de fruit. Vous pouvez préparer de la même façon des sorbets aux quetsches, à la mirabelle, à la framboise, aux myrtilles.

Oranges givrées

Pour 4 personnes

5 oranges
1/2 citron
150 g de fromage à 0 % de m.g.
édulcorant de synthèse : l'équivalent de 80 g de sucre

Préparation : 25 minutes, 3 heures au moins à l'avance

- Presser le jus d'une orange et du demi-citron.
- Retirer un « chapeau » sur les quatre oranges restantes. Les vider délicatement de leur chair. Presser le jus provenant de celle-ci. Ajouter aux précédents. Passer au chinois. Ajouter l'édulcorant.
- Battre le fromage blanc au batteur pour le rendre bien onctueux. Ajouter peu à peu le jus de fruits.
- Mettre à glacer pendant 1 heure environ. Battre à nouveau. Remplir les écorces avec ce mélange. Remettre à glacer pendant 2 heures environ.

Si vous désirez préparer simplement un sorbet à l'orange, il vous suffira du jus de 4 fruits (il y a une certaine perte lorsqu'on vide les oranges) ou d'un verre et demi de jus tout préparé (non sucré).

Glace à la liqueur d'oranges

Pour 4 personnes

1/2 l de lait demi-écrémé	1/2 gousse de vanille
3 œufs	le quart d'un zeste d'orange
2 cuillerées à soupe de Grand Marnier	édulcorant de synthèse : l'équivalent de 75 g de sucre

Préparation : 20 minutes

- Mettre le lait à bouillir avec la demi-gousse de vanille fendue en deux et le zeste d'orange coupé en petits morceaux.
- Battre les jaunes d'œufs avec le Grand Marnier. Verser peu à peu par-dessus le lait bouillant. Remettre dans la casserole et laisser épaissir sans cesser de tourner.
- Passer au chinois. Ajouter l'édulcorant et un blanc d'œuf battu en neige ferme.
- Mettre à glacer en sorbetière ou dans le bac à glaçons pendant 3 heures au moins *.
- Servir soit en démoulant, soit en faisant des boules avec un appareil spécial.

** Voir p. 277 comment faire glacer sans sorbetière.*

Si votre régime est très strict, vous emploierez du lait écrémé. Pour qu'il soit moins fade, ajoutez 2 ou 3 cuillerées à soupe rases de lait écrémé en poudre au lait écrémé liquide.

Glace au chocolat

Pour 4 personnes

0,400 l de lait demi-écrémé	4 jaunes d'œufs
2 cuillerées à soupe rases de cacao non sucré	2 cuillerées à café de liqueur d'oranges
1 cuillerée à soupe de lait concentré non sucré	édulcorant de synthèse : l'équivalent de 100 g de sucre

Préparation : 25 minutes, 3 heures au moins à l'avance

- Mettre le lait à bouillir.
- Battre les jaunes d'œufs avec le cacao en poudre. Délayer doucement avec le lait bouillant. Remettre dans la casserole et laisser épaissir sur feu doux, sans cesser de tourner.
- Verser dans un saladier. Ajouter le lait concentré et l'édulcorant. Laisser refroidir. Ajouter la liqueur d'orange. Mélanger.
- Mettre à glacer pendant 3 heures au moins en sorbetière électrique ou suivant la méthode expliquée page 277.

Ne soyez pas trop généreux en liqueur d'oranges. Une petite quantité fait ressortir la saveur du cacao. Au-delà, c'est moins bon. Et n'oubliez pas que vous avez consommé l'équivalent d'un morceau de sucre n° 4.

Glace flambée aux abricots

Pour 4 personnes

500 g d'abricots
0,400 l de lait demi-écrémé
4 jaunes d'œufs
1/2 gousse de vanille
édulcorant de synthèse : l'équivalent de 80 g de sucre
1/2 verre de rhum

Préparation : 20 minutes, 3 heures au moins à l'avance

- Laver et essuyer soigneusement les abricots. Retirer les noyaux. Mettre à cuire dans un minimum d'eau avec la gousse de vanille fendue en deux.
- Par ailleurs, faire bouillir le lait. Le verser peu à peu sur les jaunes d'œufs battus. Reverser dans la casserole et laisser épaissir sur feu doux sans cesser de tourner.
- Passer les abricots cuits au mixer. Ajouter l'édulcorant. Mélanger la crème et la purée d'abricots. Mettre à glacer pendant 3 heures au moins *.
- Au moment de servir, démouler la glace. Faire chauffer le rhum. Le verser flambant sur la glace. Servir aussitôt.

* *Voir page 277.*

Un dessert spectaculaire et très fin. Il est tout indiqué pour un repas de fête ou de réception.

ANNEXES

AU POIDS ET A L'ŒIL

Une seule balance est vraiment nécessaire au maintien d'un poids correct : le pèse-personne de la salle de bains. Inutile de faire la dépense d'une balance pour la cuisine. Même (et surtout) celles qui se parent du qualificatif « diététique » (lequel est habituellement prétexte à un prix plus élevé que celui des balances ménagères courantes) et qui ne sont ni plus ni moins fiables. En fait, à la cuisine, seules les pâtisseries nécessitent des pesées rigoureuses. Et les pâtisseries, de toute façon...

Il vous suffit, pour évaluer les denrées nécessaires, de faire l'emplette d'un verre-mesure. Et même de vous contenter d'un matériel très simple : cuillers à café, cuillers à soupe, verres, tasses... Efforcez-vous, par ailleurs, de retenir l'équivalence poids-volume. Cette connaissance vous sera fort utile pour évaluer tout ce que vous serez amené à manger en dehors de chez vous (au restaurant, chez des amis ou des parents, à la cantine, au moment d'un petit creux au bureau ou dans la rue...). Un seul impératif : ne trichez pas avec vous-même et ne chaussez pas les lunettes de l'optimisme pour évaluer trop bas lipides et sucres consommés. Elles pourraient bien vous conduire, très vite, à ce fatal premier kilo de trop, qui amène le second, qui entraîne le troisième qui... faut-il insister sur la suite ?

A ÉVALUER A LA CUISINE

Voici quelques indications de poids établies pour les formats les plus courants de cuillers, verres à moutarde et tasses à thé. Si votre vaisselle à vous vous paraît hors de ces normes, établissez une fois pour toutes * votre propre échelle et notez-la quelque part, sous vos yeux, dans la cuisine.

Pour établir ces chiffres d'une manière précise, il faut peser en même temps 10 cuillerées ou 10 verres ou 10 tasses et faire ensuite la division par 10. Il s'agit dans tous les cas de cuillerées *rases*, de verres et de tasses *ras*. C'est-à-dire remplis, puis arasés en passant un couteau par-dessus. Bien entendu, quand, par la suite, vous utiliserez une cuillerée de quelque chose, vous le ferez de la même façon, à ras.

* *En empruntant éventuellement une balance.*

Denrées	1 cuillerée à café rase	1 cuillerée à soupe rase	1 verre ras	1 tasse à thé rase
Sucre semoule	5 g	15 g	130 g	175 g
Miel ou gelée	10 g	30 g		
Confiture	12 g	36 g		
Farine	5 g	15 g	95 g	115 g
Maïzena	4 g	12 g		
Semoule	4 g	12 g	105 g	135 g
Riz	5 g	16 g	135 g	180 g
Tapioca	4 g	12 g		
Gruyère râpé	4 g	12 g		
Beurre	7 g	22 g		
Huile	5 g	15 g		

En outre :

Beurre et margarine : certains emballages permettent de diviser régulièrement le contenu du paquet sans pesée particulière.

Sucre : un morceau nº 3 pèse 7 g, un morceau nº 4 pèse 5 g.

Légumes : une pomme de terre de la taille d'un œuf pèse 100 g. Il faut 8 à 10 tomates moyennes ou 8 à 10 carottes ou navets moyens pour faire 1 kilo.

Fruits : il y a environ 8 fruits moyens dans un kilo.

SUCRE EN STOCK ET GRAISSE CACHÉE

Ici, il ne s'agit plus d'estimer le poids d'un aliment, mais le sucre invisible et pourtant bien présent ou les corps gras contenus dans certains aliments ou certaines boissons. Estimation d'autant plus nécessaire qu'il s'agit souvent d'une consommation hors repas que l'on a volontiers tendance à oublier ou à sous-estimer.

Les desserts

Aliment (une portion moyenne)	Sucres	Graisses
Glace au chocolat	16 g	4 g
Glace à la vanille	15 g	8 g
Glace à la fraise	14 g	5 g
Cassate	28 g	6 g
Tranche	13 g	4 g
Banana-Split	45 g	13 g
Pêche Melba	49 g	8 g
Dessert lacté en pot au caramel	30 g	1 g
Dessert lacté en pot au chocolat	29 g	3,5 g
Gâteaux secs (5 unités) *	36 g	5 g
Pâtisseries	30 à 40 g	15 à 25 g

* Ces chiffres représentent une moyenne. Dans l'ensemble : les boudoirs, gaufrettes, biscuits de Savoie contiennent beaucoup moins de matières grasses; les meringues n'en contiennent pas du tout, mais elles sont un peu plus sucrées.

Les sucreries

Aliments	Sucres pour 100 g	Graisses pour 100 g
Bonbons, pastilles, sucres d'orge, sucettes	90 à 99 g	0 g
Caramels	88 g	6 à 10 g
Pâtes d'amande, calissons, nougats, dragées, pralines	45 à 60 g	25 à 40 g
Fruits confits, pâtes de fruits	75 à 85 g	0 g
Chocolat au lait	51 g	32 g
Chocolat à croquer	64 g	24 g
Chocolat à la crème	75 g	14 g
Chocolat praliné	57 g	29 g
Chocolat en poudre	80 g	6 g
Poudres et granulés chocolatés	88 g	4 g
Petits déjeuners chocolatés	83 g	5 g

- **Les boissons**

Appellation	Sucres pour 1 grand verre (0,250 l)	Graisses pour 1 grand verre (0,250 l)
Jus de fruits en général	50 g	0 g
Jus d'orange non sucré	30 g	
Limonade	30 g	
Coca-Cola	28 g	
Schweppes et sodas divers	25 g	
Bières (moyenne)	10 g	+ alcool : 3 à 5°
Cidres	2 à 6 g	+ alcool : 2 à 5°
Laits chocolatés	4 g	2 g

- **Les « amuse-gueule »**

Aliments	Sucres pour 100 g (20 à 50 unités)	Graisses pour 100 g
Amandes	17 g	54 g
Pistaches	15 g	54 g
Noix de cajou	26 g	48 g
Cacahuètes	26 g	40 g
Noisettes	15 g	60 g
Biscuits salés	*voir biscuits secs*	

ÉQUIVALENCES ANTIBAVURES

Si vous êtes amenés à manger à l'extérieur (invitations, restaurant, restaurant d'entreprise), tous les critères d'appréciation acquis au fil des recettes ou des estimations ci-dessus devraient vous permettre de rester dans les frontières tracées par le maintien de votre poids.

a) Évitez les charcuteries, mais acceptez viandes, poissons et volaille en éliminant, dans toute la mesure du possible, la sauce ou le morceau de beurre manié qui les accompagne.

b) Adoptez les légumes verts à l'anglaise, maître d'hôtel ou à la vapeur, en prenant la même précaution et demandez vos salades non assaisonnées (vous ferez vous-même votre sauce et tant pis si vous passez pour un(e) maniaque).

Si ces deux solutions sont impossibles appliquez les quelques évaluations ci-dessous, approximatives, c'est vrai, mais qui devraient cependant vous éviter de trop grosses désillusions lors du prochain tête-à-tête avec votre pèse-personne :

Vous avez mangé	Supprimez par ailleurs
1 pomme de terre vapeur de la taille d'un œuf (sans beurre)	40 g de pain
2 cuillerées à soupe de frites	80 g de pain + 1 cuillerée à soupe d'huile
2 cuillerées à soupe de pâtes, riz ou légumes secs (sans sauce)	80 g de pain
+ sauce ou fromage râpé	80 g de pain + 1 cuillerée à soupe d'huile ou de beurre

c) Fromages : il est vraiment très rare de ne pouvoir disposer de yaourts nature. Faites porter votre choix sur eux et consommez-les sans sucre.

Si vous succombez aux fromages courants et qu'ils ne vous soient pas autorisés, reportez-vous p. 25 pour vérifier leur teneur réelle en matières grasses et supprimez par ailleurs l'équivalent en beurre ou en huile.

d) Desserts : un fruit, c'est un fruit (à défalquer de vos possibilités du jour). En dehors de cette solution simple, il faudra, comme pour les légumes, procéder à quelques rattrapages.

Vous avez mangé	Supprimez par ailleurs
1 portion de salade de fruits	1 fruit + 3 morceaux de sucre nº 4
1 portion de tarte	50 g de pain + 1/2 cuillerée à soupe de beurre + 1/2 fruit + 1 morceau de sucre nº 4
1 gâteau à la crème	50 g de pain + 2 morceaux de sucre nº 4 + 2 cuillerées à soupe de beurre
1 glace avec chantilly	1/2 fruit + 8 morceaux de sucre nº 4 + 1 cuillerée à soupe de beurre
1 glace sans chantilly	1/2 fruit + 5 morceaux de sucre nº 4 + 1/2 cuillerée à soupe de beurre
1 portion d'œufs à la neige	5 morceaux de sucre nº 4 + 1/2 cuillerée à soupe de beurre
1 portion de mousse au chocolat	5 morceaux de sucre nº 4 + 1 1/2 cuillerée à soupe de beurre

Dans tous les cas, rappelez-vous ces quelques conseils :

— Mangez lentement en mastiquant bien : d'une part vous digérerez mieux et surtout votre assiette ne sera pas vide avant celle des autres, ce qui conduit trop souvent soit à se resservir, soit à grignoter du pain pour tromper l'attente;

— Servez-vous correctement lors du premier passage d'un plat, mais ne vous resservez jamais lorsque ce plat « repasse » (vous ne serez certainement pas le (la) seul(e) à agir ainsi :

— Efforcez-vous de ne prendre qu'un seul (petit) morceau de pain et de le faire durer pendant tout le temps du repas;

— Ne videz qu'une seule fois votre verre de vin;

— Refusez tout digestif.

Et, pour mettre toutes les chances de votre côté, surtout si vous avez des doutes, faites, le soir ou le lendemain, un ou deux repas strictement « régime ».

DU MATIN AU SOIR

Tous les nutritionnistes l'ont dit, redit, répété, rabâché — insuffisamment sans doute puisque encore souvent sans succès :

Si les excès (excès de graisse, excès de sucre, excès d'alcool) sont des écueils majeurs — et reconnus — dans le maintien d'un poids raisonnable, il est d'autres erreurs tout aussi importantes que l'on commet de bonne foi, quand bien même on ne s'y oblige pas. Elles conduisent presque inévitablement aux excès ci-dessus. Elles prouvent, de toute façon, que le véritable but des régimes, *réapprendre à manger*, n'est pas atteint.

Ces erreurs, les voici :

A. — AVOIR FAIM : c'est inutile

C'est inconfortable, pénible même; c'est décourageant, puisqu'il y a des moments « où l'on n'y tient plus »; et c'est totalement inutile.

Tout au long de ces pages, nous vous avons montré que, si maigrir, puis rester mince, demande des restrictions, celles-ci portent uniquement sur le choix des aliments. Certains doivent être éliminés, c'est vrai. Mais bien plus nombreux sont ceux que l'on peut consommer sans limitation de quantité. Il n'existe aucune raison valable de s'infliger pareil désagrément.

MANGEZ
MANGEZ A VOTRE FAIM
mais MANGEZ AVEC DISCERNEMENT.

B. — SAUTER DES REPAS : c'est imprudent

M. de La Palice vous l'aurait dit : « Pour ne pas avoir faim, il faut manger. »

Le petit déjeuner que vous « n'avez pas eu le temps » de prendre; le déjeuner que vous avez supprimé pour cause de lèche-vitrines, de courses urgentes ou de « travail qui ne pouvait pas attendre », vous allez les payer. Très vite.

Parce que dans une heure ou deux vous serez ramené à l'erreur précédente : vous aurez faim; vous n'y tiendrez plus. Vous êtes bon pour le « n'importe quoi », généralement trop gras ou/et trop sucré dont se payent ces sortes de fringales tout à fait logiques.

MANGEZ
MANGEZ RÉGULIÈREMENT
MANGEZ DE VRAIS REPAS (étudiés).

C. — NE FAIRE QU'UN (OU DEUX) REPAS PAR JOUR : c'est risqué

Allant plus loin que M. de La Palice, la diététique moderne déclare : « Pour ne pas avoir faim, *il faut avoir mangé.* » Il faut manger avant d'avoir (trop) faim.

Vous les connaissez bien les moments de ces petits creux irrésistibles qui vous jettent sans forces, sinon sans remords sur le premier faux pas venu. Puisque vous les avez repérés, prévenez-les. Le petit creux de 11 heures, on lui répond à 10 h 15 ou 10 h 30, comme on répond vers 16 h 30 à celui de 17 heures ou à 22 h 30 à celui de 23 heures. Comment ? De préférence avec des aliments protéiques pas trop gras ou une collation à dominante protéique apportant le tonus nécessaire. Mais attention : manger 3, 4 ou même 5 fois par jour, ne veut pas dire manger comme quatre, ni manger cinq fois plus. Cela signifie répartir différemment, diviser en 3, 4 ou 5 ce que l'on aurait partagé au maximum en deux. Ce qui est une autre astuce anti-kilos de trop.

Deux gros repas séparés par de longues heures de jeûne stimulent la mise en réserve de la graisse. Le même capital alimentaire divisé en quatre repas moins importants et plus rapprochés sera utilisé dans l'immédiat. Et puis, faire un repas, c'est aussi un travail, une dépense. Pas très importante sans doute (75 à 125 calories), mais les petites dépenses qui s'additionnent c'est autant de graisse en moins pour la « brioche ».

MANGEZ
MANGEZ AU MOINS TROIS FOIS PAR JOUR
MANGEZ S'IL LE FAUT QUATRE OU CINQ FOIS PAR JOUR
mais MANGEZ MODERÉMENT A CHAQUE FOIS.

D. — NÉGLIGER LE PETIT DÉJEUNER : c'est dangereux

Faites le compte : au réveil, vous êtes à jeun depuis douze heures environ. Et vous avez devant vous toute une matinée d'activités. Si vous vous contentez d'un thé ou d'un café, rien d'étonnant que vous soyez affamé ou « pas bien du tout » en fin de matinée.

Commencez votre journée par un petit déjeuner copieux, à la fourchette. Un petit déjeuner bâti sur le modèle des autres repas, c'est-à-dire comportant une certaine quantité d'aliments protéiques (œuf, jambon, viande froide, yaourt, fromage blanc ou encore l'un des desserts au lait dont nous avons parlé ci-dessus). Ces protéines vous donneront le tonus nécessaire à la matinée. En outre, leur présence à côté des traditionnels aliments glucidiques (que vous ne devez utiliser que modérément car ils interviennent dans la formation des kilos de trop) en régularise l'utilisation par l'organisme et met pour un plus long temps à l'abri des hypoglycémies qui poussent à manger. Enfin, variez les menus de vos petits déjeuners comme vous variez ceux des autres repas.

MANGEZ
MANGEZ SUFFISAMMENT DÈS LE MATIN
et, si vous avez pris très tôt ce premier repas,
MANGEZ ENCORE VERS 10-11 heures, une collation antifringale.

E. — NE PAS FAIRE ATTENTION A CE QU'ON MANGE : c'est (presque) perdu d'avance

Vos anciennes habitudes ont fait leurs preuves sur la balance. Et comme les mêmes causes produisent les mêmes effets...

Il faut donc en acquérir de nouvelles. Il faut apprendre une cuisine différente. Vous avez pu voir combien elle passionnait les chefs de classe internationale. Parce qu'ils s'intéressent à ce qu'ils mangent et à ce qui se mange en général.

Il faut réfléchir aux menus et non les improviser au dernier moment. Il faut penser son équilibre alimentaire, prévoir d'éventuelles compensations. Nous vous avons proposé de le faire sous la forme d'un jeu. Vous pouvez en inventer un autre. Pourquoi pas, s'il vous permet de mieux aboutir à l'équilibre recherché et au maintien d'un poids raisonnable?

MANGEZ
MANGEZ AVEC PLAISIR
MANGEZ AVEC IMAGINATION
et surtout MANGEZ AVEC RÉFLEXION. C'est le meilleur moyen de manger comme il faut.

CINQUANTE MENUS
et la façon de s'en servir

Plutôt que d'établir des semaines entières de menus qu'il n'est pas toujours facile de réaliser, il nous a semblé plus réaliste de vous proposer une série de menus de tous styles, à l'unité. Destinés aux repas de midi ou du soir, ces menus peuvent soit être associés entre eux, deux à deux, dans une même journée, soit être associés à un autre menu bâti selon le même schéma. Comme les recettes, il ne s'agit que d'exemples qui devraient vous permettre de mettre au point *vos* propres menus dans toute une série de circonstances.

Quelques précisions :

Dans tous les menus ci-dessous :

— Le *pain*, non mentionné, doit être décompté des quantités possibles pour la journée — quantité éventuellement diminuée légèrement si l'une ou l'autre des recettes le nécessite. Si vous ne pouvez manger que très peu de pain, réservez-le pour votre petit déjeuner;

— Sauf indications particulières, les desserts proposés dont nous n'avons pas fourni les recettes contiennent des édulcorants de synthèse, les salades une sauce au yaourt ou à l'huile de paraffine. Si vos possibilités personnelles atteignent un niveau plus important, utilisez du « vrai » sucre ou une huile de table (tournesol, olive...), sans oublier de faire vos comptes;

— Les fromages mentionnés sont :

• soit des fromages blancs à 0 % de matières grasses, lissés ou en faisselle avec leur petit-lait ou encore préparés par vous-même à partir de lait écrémé ou demi-écrémé au moyen d'une fromagère électrique *;

• soit des fromages à faible taux de matières grasses : fromages fondus, à pâte molle, à pâte pressée non cuite à 25 % de matières grasses (*voir tableau p. 25*), soit de la tomme de Savoie à 25 % trouvée assez couramment dans le commerce.

Bien entendu, vous en mettrez d'autres sur le plateau de fromages. Vos parents, vos invités n'ont pas forcément vos problèmes. Si vous-même avez la possibilité d'inclure d'autres fromages dans votre alimentation, utilisez les grands classiques, avec les habituels décomptes;

— Chaque repas doit comporter une crudité. Un certain nombre de celles que nous avons prévues sont des fruits ou des préparations à base de fruits (petite plaque de scrabble « p »). Au cas où vos possibilités personnelles se limiteraient à un seul fruit par jour, attention! Juxtaposez un menu avec fruit et un menu avec crudité légume, ou apportez au menu proposé la modification nécessaire : une salade (attention à l'huile) ou un légume cru et pas de fruit.

Des commencements sages :

En ce qui concerne le repas le plus important de la journée, c'est-à-dire le petit déjeuner, prévoyez chaque matin :

1. Une boisson chaude ou tiède : café, thé, chicorée, infusion à votre choix, avec sucre ou édulcorant suivant vos possibilités;
2. Un produit laitier choisi parmi les possibilités ci-dessous :
   - lait écrémé ou demi-écrémé consommé à votre choix, tiède, chaud ou froid;
   - yaourt nature bulgare ou classique;
   - fromage blanc à 0 % de matières grasses;
   - entremets préparé suivant l'une des recettes ci-dessus;
   - fromage, si vous êtes stabilisé à un niveau élevé.
3. Un aliment protéique d'autre sorte à choisir parmi :
   - œuf (à la coque, mollet, dur), si vous n'en avez pas mangé la veille au soir et si vous n'en avez pas prévu pour le repas suivant;

** La fromagère électrique (SEB) a été mise sur le marché au moment où nous terminions ce livre. Bien que ne l'ayant pas beaucoup utilisée, elle nous semble intéressante.*

- jambon maigre;
- viande froide, poulet froid... restant par exemple d'un repas de la veille;

4. Du pain ou des biscottes suivant vos possibilités. Si elles sont faibles, réservez-les pour le petit déjeuner;
5. Du beurre avec les mêmes réserves qu'en ce qui concerne le pain. Si vous ne pouvez vous autoriser que très peu de beurre il vaut mieux, souvent, le réserver pour un autre repas. Choisissez alors un très bon pain (pain bis, pain de campagne, petits pains épis, petits pains de seigle...) dont la saveur ne nécessite pas un ajout de beurre;
6. Un fruit ou un jus de fruit — encore une fois suivant vos possibilités. Si vous n'avez droit qu'à un seul fruit et que vous le mangiez au petit déjeuner, ne succombez pas à la tentation lors des autres repas de la journée.

Les petits creux ou, plus exactement, les petites collations préventives des petits creux nécessitent des aliments protéiques pris dans l'une des séries ci-dessus.

Important : N'oubliez pas de boire au moins 1,5 litre d'eau par jour, de préférence entre les repas.

MENUS FAMILIAUX

*Bœuf gros sel**
Salade de laitue
Fromage à 0 % en faisselle
*Poires au gratin**

*Salade Reinette**
*Rôti de porc aux choux**
Yaourt

*Potage julienne**
Poulet froid
*+ mayonnaise minceur**
Salade de scarole
*Crème péruvienne**

Concombre au yaourt
*Lieu braisé à la julienne**
Petits pots de crème au café
(préparés d'après recette des petits pots de crème au citron)

Salade tomates et carottes
*Dorade grillée à la créole**
*Germes de soja**
Fromage frais maison à la vanille

*Brochettes de langoustines**
*Endives à la moutarde**
Fromage fondu à 25 % de matières grasses
Ananas frais

*Salade aux deux radis**
*avec sauce au yaourt**
*Pot-au-feu de lotte**
Fromage blanc à 0 % de matières grasses

Pamplemousse
*Papillotes de saumon**
Fenouil vapeur
*Petits pots de crème au caramel (*cf. *au citron)*

*Salade de bœuf à la provençale**
*Lisette au citron vert**
*Crosnes aux herbes**
Yaourt

*Soupe indienne**
*Omelette aux girolles**
Salade frisée
Fromage blanc en faisselle à 0 % de matières grasses

Omelette
*Artichauts farcis**
Fromage à pâte molle à 25 % de matières grasses
Salade oranges-pamplemousses

*Petites tomates fourrées**
Côte de porc grillée
*Chou-fleur au paprika**
Fromage blanc à la fleur d'oranger

*Salade de navets crus**
*Gigot de dinde à la dijonnaise**
Endives braisées
*Petits pots de crème au citron**

Céleri au citron
Râble de lapin rôti
*Courgettes à la Parisienne**
Yaourt

Pintade rôtie à la broche
*Chou braisé à la tomate**
Fromage à 25 % de matières grasses
Salade de fruits

*Poulet au pastis**
*Ratatouille niçoise**
Yaourt
Fruit de saison

Foie d'agneau grillé
*Fenouil à l'orientale**
Tomme à 25 % de matières grasses
Salade d'oranges

*Blanquette de veau**
*Crosnes aux herbes**
Fromage blanc maigre maison
Fruit de saison

Panier de crudités variées
*+ sauce Méditerranée**
*Rôti de veau à la cannelle**
Carottes vapeur
*Cœurs au café**

*Petits légumes au vinaigre**
Gigot froid
Fromage blanc à la vanille
*Pommes à l'alsacienne**

*Consommé au cresson**
Piperade
Salade de romaine
Petits pots de crème au café

*Soupe à la citrouille**
*2 œufs cocotte aux champignons**
Fruit de saison

*Potage Crécy**
*Petits flans au jambon**
Salade
*Compote de pommes à la verveine**

MENUS RAPIDES

Omelette
*Poivrons farcis au jambon**
Fraises des bois et framboises

Filets de poisson pochés
*Bettes au gratin**
Salade de fruits

*Œufs brouillés au cerfeuil**
*Courgettes à la Parisienne**
Sorbet aux fruits de la Passion
(préparé sur le modèle du sorbet aux poires)

*Caillette de la Drôme**
Salade de laitue
*Soufflé créole**

*Perdreaux aux cèpes**
*Laitue à la ciboulette**
Fromage blanc battu

*Bœuf en gelée**
*Salade verdure**
Yaourt

*Brochettes mélangées**
*Timbale de laitue**
*Oranges givrées**

Côte de veau grillée
*Purée de céleri-rave**
Fruit de saison

Jambon maigre
*Papeton d'aubergines**
Fruit de saison

Rosbif froid
*Soufflé vert**
Citron givré
(sur le modèle des oranges givrées)

Chou râpé au citron
*Barbue à la fondue de poireaux**
Yaourt

*Consommé à l'œuf**
*Soufflé de courgettes**
Fruit de saison

MENUS EXPRESS

*2 œufs pochés à la florentine**
*Sorbet aux poires**

*Salade de poulet aux légumes**
Glace aux fraises
(sur le modèle de la glace aux abricots)

*Saint-Pierre farci à l'oseille**
Soufflé à l'ananas

*2 fonds d'artichauts aux crevettes**
Fruit de saison

*Salade de poisson**
(en multipliant les proportions par deux)
Pommes à l'alsacienne

MENUS POUR RECEVOIR

*Cocktail de crevettes**
Escalope grillée
Choux de Bruxelles glacés
Fromage blanc à la ciboulette
Fruit de saison

*Gigot à l'anglaise**
*+ crème d'ail**
Julienne de légumes vapeur
Tomme de Savoie à 25 % de matières grasses
Fruit de saison

*Pamplemousse aux champignons**
*Ris de veau en cocotte**
Épinards en branche
*Petits pots de crème au citron**

*Petites tomates fourrées**
*Caneton aux reinettes et au poivre vert**
Jardinière de légumes
*Rocher au caramel**

Melon
*Turbotin à la mode des Iles**
Laitue braisée
*Glace au chocolat**

*Plateau de fruits de mer**
*Soufflé vert**
Salade d'oranges

*Mousse de saumon**
Rôti de veau froid
+ *mayonnaise minceur*
*Salade verdure**
*Pomme en chemise**

*Terrine de légumes au poivre vert**
+ *sauce trappeur**
Poulet rôti à la broche
Navets glacés
Fromage à 25 % de matières grasses
*Salade de fruits rouges**

*Huîtres pochées au champagne**
Carré d'agneau rôti
Petits légumes glacés
Sorbet à la framboise
(sur le modèle du sorbet à la poire)

INDEX DES RECETTES

Table des matières

PREMIÈRE PARTIE

DEUXIÈME PARTIE
De l'entrée au dessert
Des recettes et des idées

ANNEXES

Achevé d'imprimer
sur les presses de
SCORPION,
Verviers
pour le compte des
Nouvelles Editions Marabout
D. 1980/0099/144

La santé chez

marabout

Marabout Service

100 plantes, 1000 usages, Y. ROCHER 321
Le livre des **bonnes herbes**, P. LIEUTAGHI T.1. 323
Le livre des **bonnes herbes**, P. LIEUTAGHI T.2. 324
Le guide de la **diététique**, Dr E.G. PEETERS 166
Votre **gymnastique quotidienne**, F. WAGNER 303
Le guide Marabout de la **France Thermale**, M. CERISIER 315
Exercices de **hatha-yoga**, J. DIJKSTRA 353
Le dictionnaire Marabout de l'**homéopathie**, C. HAUMONT 348
Trois semaines pour **maigrir**, Dr J. DERENNE 319
Le guide pratique des **massages**, H. CZECHOROWSKI 333
Le guide Marabout de la **maternité**, G. GUIDEZ 285
Le dictionnaire Marabout de la **médecine**, T.1. 329
Le dictionnaire Marabout de la **médecine**, T.2. 330
Le dictionnaire Marabout des **médecines naturelles**, T.1. 238
Le dictionnaire Marabout des **médecines naturelles**, T.2. 239
Le guide Marabout de la **médecine psychosomatique**, Dr J.C. HACHETTE & N. LEBERT 364
La **pharmacie du bon Dieu**, F. BARDEAU 366
Les **secrets du docteur**, A. LEMAIRE 363
Le guide Marabout du **Yoga**, J. TONDRIAU & J. DEVONDEL 79
Le **Yoga des yeux**, M. DARST CORBETT 373

Marabout Flash

La gastronomie chez

marabout

Marabout Service

Marabout Flash

marabout service

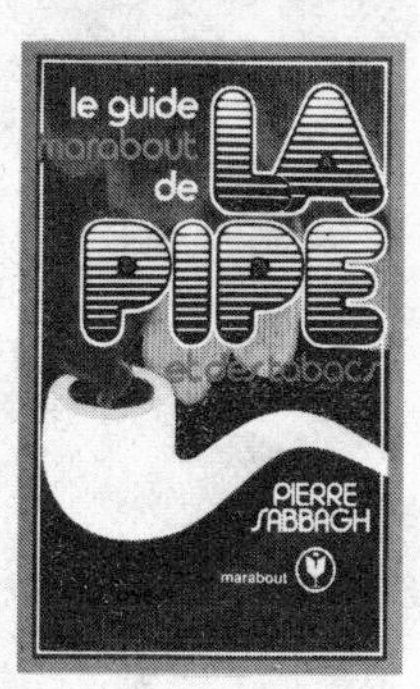